D1133881

JACQUES PHILIPPE

EL TIEMPO PARA DIOS

Guía para la vida de oración

Comenze a leer este libro el 18 de Mayo con la
already fallida intensión de acabarlo en dos dias.
Lectora tortuga en acción. Una vez más, y tal
vez con la desavertida intención de pensar en
algo más que en mi separacion con Daniel.
Esta vez hay algo distinto, un mar en calma
bajo la rueda de hamster que da vueltas
sin parar. Lo atribuyo al calido abrazo de
Maria y el ancla que es Dios en mi vida.

SAN PABLO

Título original italiano:
DU TEMPS POUR DIEU
©2008 Éditions Des Béatitudes, S. O. C., Francia
Traducción: *Norma Muñoz*

Tiempo para Dios
Jacques Philippe
1ª ed Editorial Alba, S.A. de C.V. 2010
5ª ed 2019
136 p. 12.5 x. 19.5 cm.

ISBN: 978-607-7649-17-5

© **2010. Editorial Alba, S.A. de C.V.**
Calle Alba 1914, San Pedrito, Tlaquepaque. Jal.
Email: subdirectoreditorial@sanpablo.com.mx

Queda hecho el depósito que establece la ley
Prohibida su reproducción total o parcial, sin permiso de Copyright

Director editorial: Pbro. Dr. Rafael González Beltrán, ssp

Este libro se terminó de imprimir en Septiembre del 2019
en **Editorial Alba, S.A. de C.V.**
Sociedad de San Pablo, Provincia de México-Cuba
Impreso y hecho en México
Printed and made in Mexico

Afiliados a la Cámara Nacional de la Industria Editorial Mexicana: 3854

INTRODUCCIÓN

En la tradición católica occidental se llama "oración" aquella forma de plegaria que consiste en ponerse en la presencia de Dios durante un tiempo más o menos prolongado, con el deseo de entrar en una íntima comunión de amor con Él, en medio de la soledad y del silencio. "Vivir en oración", es decir, practicar regularmente esta forma de plegaria, es considerado por todos los maestros espirituales como el medio privilegiado e indispensable para acceder a una auténtica vida cristiana, conocer y amar a Dios, y estar en condiciones de responder al llamado a la santidad que Él dirige a cada uno de nosotros.

Muchas personas en la actualidad —y nos regocijamos por ello— sienten sed de Dios, experimentan el deseo de una vida de oración personal intensa y profunda, y desearían realmente vivir en oración. Pero encuentran diferentes obstáculos para comprometerse seriamente en este camino y sobre todo para perseverar en él. Les falta a veces el aliento necesario para decidirse a comenzar, o se sienten desamparadas porque no saben bien cómo hacerlo y entonces, luego de repetidos intentos, se descorazonan ante las dificultades y abandonan la práctica regular de la oración. Y esto es infinitamente lamentable, pues la perseverancia en la oración es, según el testimonio unánime de todos los santos, la puerta estrecha que nos abre el Reino de los Cielos. Es por medio de ella y sólo por ella que nos son dados todos esos bienes que "ni ojo vio, ni oído oyó, ni por mente humana han pasado las cosas que Dios ha preparado para los que lo aman" (1Cor 2,9). La oración es la fuente de la verdadera felicidad, porque quien la practica fielmente no dejará jamás de ver y gustar qué bueno es el Señor (cfr Sal 34); encontrará esta agua viva prometida por Jesús: "El que beba del agua que yo le daré, nunca volverá a tener sed" (Jn 4,14).

Convencidos de esta verdad, queremos dar en esta pequeña obra algunos consejos y orientaciones, lo más simples y concretos posible, para ayudar a toda persona de buena voluntad y deseosa de orar, a comprometerse y perseverar en el camino de la oración, sin dejarse abatir por las dificultades que inevitablemente encontrará en él.

Son numerosas las obras que tratan de la oración y todos los grandes contemplativos han hablado de ella mucho mejor de lo que nosotros podríamos hacerlo, es por eso que los citaremos frecuentemente. Nos parece, sin embargo, que la enseñanza tradicional de la Iglesia al respecto, debe ser propuesta a los creyentes de hoy en una forma simple, accesible a todos, adaptada a la sensibilidad y al lenguaje propios; teniendo también en cuenta la pedagogía que Dios, en su sabiduría, emplea hoy para conducir a las almas a la santidad, pedagogía que no es la misma que en siglos pasados. Es ésta la intención que nos ha guiado en la redacción de este pequeño libro.

Primera parte

LA ORACIÓN NO ES UNA TÉCNICA, SINO UNA GRACIA

La oración no es un "yoga" cristiano

Para perseverar en la vida de oración es necesario, ante todo, evitar perderse desde el comienzo por caminos equivocados. Por lo tanto, es indispensable comprender lo que es específico en la plegaria cristiana y la distingue de otros caminos espirituales. Esto es aún más necesario en un momento como el presente, en el cual el materialismo de nuestra cultura suscita como reacción una sed de absoluto, de mística, de comunicación con lo invisible que, aunque es buena en sí, lleva a veces a extraviarse en experiencias engañosas e incluso destructivas.

La primera verdad fundamental que debemos aceptar, sin la cual no podremos avanzar mucho, es que la vida de oración —la plegaria contemplativa, para emplear otro término— no es el fruto de una técnica, sino un don que nos es concedido. Santa Juana de Chantal decía: "El mejor método para orar es no tenerlo, porque la oración no se consigue con artificios (hoy diríamos con técnicas), sino con la gracia". No existe un método para orar, en el sentido de un conjunto de recetas, de procedimientos que bastaría aplicar para rezar bien. La verdadera plegaria contemplativa es un don gratuito de Dios, pero se debe tratar de comprender la forma de recibirlo.

Debemos insistir en este punto. Hoy en día, sobre todo a causa de la amplia difusión en nuestra sociedad de los métodos de meditación oriental, como el yoga, el zen, etc.; en razón también de nuestra actitud moderna de querer reducir todo a técnicas; y finalmente, a causa de una tentación permanente del espíritu humano de hacer de la vida —aun de la espiritual— algo que se pueda manipular a voluntad, tenemos a menudo, de forma más o menos consciente, una imagen falsa de la vida de oración. La vemos como una especie de "yoga" cristiano: progresaríamos en la oración a fuerza de procedimientos de concentración mental y de recogimiento, de técnicas adecuadas de respiración, de actitudes corporales, de repetición de ciertas fórmulas, etc. Una vez dominados estos elementos, gracias a la práctica, permitirían al individuo acceder a un estado de conciencia superior. Esta visión de las cosas, subyacente en las técnicas orientales, influye a veces en el concepto que se tiene de la oración y de la vida mística en el cristianismo, llevando a una concepción de la misma completamente equivocada.

Equivocada porque se funda en métodos en los cuales, en último término, lo determinante es el esfuerzo del hombre; mientras que en el cristianismo todo es gracia, todo es don gratuito de Dios. Es verdad que puede haber un cierto parentesco entre el asceta o el "espiritual" oriental y el contemplativo cristiano, pero esta semejanza es totalmente exterior; en lo que se refiere a lo esencial, se trata de dos universos muy diferentes y hasta incompatibles.[1]

1. Para profundizar este argumento, ver el libro *Des bords du Gange aux rives du Jourdain*, Fayard. Tomemos nota de que existe otra diferencia esencial entre la espiritualidad cristiana y aquellas que se inspiran en la sabiduría del Asia no cristiana, y es que la meta del itinerario espiritual según estas últimas es, de hecho y frecuentemente, ya sea por una absolutización del *Yo* o por una especie de absorción en un gran *Todo*, una eliminación del sufrimiento por la extinción del deseo y la disolución de la individualidad. Mientras que en el cristianismo la meta última de la vida de oración es completamente distinta: es una transformación en Dios, que es también un cara a cara, una unión de amor de persona a persona. Unión profunda, pero que respeta la distinción de personas, justamente para que pueda existir un don recíproco en el amor. Es importante también hoy mantenernos vigilantes frente a las corrientes que bajo la denominación de "New Age" se extienden por todas partes. Se trata de una suerte de sincretismo que mezcla astrología, reencarnación, sabiduría oriental, etc. Es una forma moderna de gnosis que niega completamente el misterio de la Encarnación y representa, a fin de cuentas, una tentativa ilusoria de autorrealización sin la gracia (exactamente lo contrario de lo que nosotros exponemos en este libro), muy egoísta al mismo tiempo, puesto que el otro no está considerado allí según su propio valor, sino sólo como instrumento de mi propia realización. Es un mundo sin verdadera relación con el otro, sin alteridad, por lo tanto, en último término, sin amor.

10

La diferencia esencial es aquella que ya hemos señalado: en un caso, se trata de una técnica, una actividad que depende esencialmente del hombre y de sus capacidades —aun cuando se pretende a menudo apelar a capacidades particulares que estarían "sin cultivar" en el común de los mortales y que el "método de la meditación" se propone justamente revelar y desarrollar—; en el otro se trata, por el contrario, de Dios que se da, libre y gratuitamente, al hombre. Aun cuando, como ya veremos, tiene allí su lugar una cierta iniciativa y actividad del hombre, todo el edificio de la vida de oración se asienta sobre la iniciativa de Dios y sobre su gracia. Nunca debemos perder de vista esto, pues aunque no caigamos en la confusión descrita anteriormente, recordemos que una de las tentaciones permanentes y a veces sutiles de la vida espiritual consiste en hacerla descansar sobre nuestros propios esfuerzos y no sobre la misericordia gratuita de Dios.

Las consecuencias de lo que acabamos de afirmar son numerosas y muy importantes. Revisaremos algunas de ellas.

Algunas consecuencias inmediatas

La primera consecuencia podría ser que, aun cuando algunos métodos o ejercicios puedan ayudarnos a rezar, les demos demasiada importancia

11

y hagamos depender todo de ellos. Eso sería centrar toda nuestra vida de oración en nosotros mismos y no en Dios, lo que es precisamente el error que debemos evitar. No debemos tampoco creer que nos bastará un poco de práctica o aprender ciertos "trucos" para desembarazarnos de nuestras dificultades para orar, de nuestras distracciones, etc. La lógica profunda que nos hace progresar y crecer en la vida espiritual es de un orden completamente distinto. Por suerte, porque si el edificio de la oración debiera basarse en nuestro trabajo, no iríamos demasiado lejos. Santa Teresa afirma que "todo el edificio de la oración está basado en la humildad", es decir, en la convicción de que por nuestra cuenta no podemos hacer nada, sino que es Dios y sólo Dios quien puede producir en nuestra vida algún bien. Esta convicción puede resultar un poco amarga para nuestro orgullo, pero es, sin embargo, muy liberadora porque Dios, que nos ama, nos llevará infinitamente más lejos y alto de lo que podríamos alcanzar por nuestros propios medios.

Nuestro principio fundamental tiene otra consecuencia liberadora. Frente a cualquier técnica, siempre hay personas que están dotadas para ella y otras que no lo están. Si la vida de oración fuera cuestión de técnica, la consecuencia sería que existirían personas capaces de una oración contemplativa y otras que no. Es verdad que hay gente con más aptitudes para el recogimiento, para llenar su mente de bellos pensamientos que otros, pero esto no tiene ninguna importancia. Cada uno, según su propia personalidad, con sus dones y debilidades, es capaz de lograr, si corresponde fielmente a la gracia divina, una vida de oración muy profunda. El llamado a la oración, a la vida mística, a la unión con Dios en la plegaria, es tan universal como el llamado a la santidad, porque no existe uno sin el otro. Ninguna persona está excluida. Jesús no se dirige a una élite elegida sino a todos sin excepción cuando dice: "Por eso estén... orando en todo momento" (Lc 21,36) y "Pero tú, cuando reces, entra en tu pieza, cierra la puerta y ora a tu Padre que está allí, a solas contigo. Y tu Padre, que ve en lo secreto, te premiará" (Mt 6,6).

Otra consecuencia que va a dirigir nuestra exposición es: si la vida de oración no es una técnica que debamos dominar sino una gracia que debemos recibir, un don que viene de Dios, lo más importante cuando hablamos de ella no es discutir los métodos ni dar recetas, sino intentar hacer comprender cuáles son las condiciones que permiten recibir ese don. Éstas consisten, de hecho, en ciertas actitudes interiores, en ciertas disposiciones del corazón. En otros términos, lo que asegura el progreso en la vida de oración y la vuelve fructífera no es tanto la manera como uno reza, sino las disposiciones interiores con las que se aborda y se avanza por ella. El trabajo más importante a realizar es esforzarnos en adquirir, conservar y profundizar estas disposiciones del corazón. El resto será obra de Dios.

Vamos ahora a revisar algunas de las disposiciones más importantes.

La fe y la confianza, bases de la oración

La primera disposición —y la fundamental— es una actitud de fe. Como tendremos ocasión de repetir, la vida de oración comprende una parte de lucha, y en esa lucha el arma esencial es la fe.

La fe es la capacidad que tiene el creyente de conducirse, no según las impresiones, los prejuicios o las ideas recibidas del medio, sino conforme a lo que dice la Palabra de Dios, que no puede mentir. La virtud de la fe, así entendida, es la base de la oración; su puesta en acto comprende diversos aspectos.

Fe en la presencia de Dios

Cuando nos ponemos a rezar solos frente a Dios, en nuestra habitación, en un oratorio o frente al Santísimo Sacramento, debemos creer de todo corazón que Dios está presente. Independientemente de lo que podamos sentir o no, de nuestros méritos, de nuestra preparación, de nuestra capacidad para tener o no pensamientos buenos, cualquiera que sea nuestro estado interior, Dios está allí cerca de nosotros, nos mira y nos ama. Está allí no porque lo merezcamos o lo sintamos, sino porque lo ha prometido: "...entra en tu pieza, cierra la puerta y ora a tu Padre que está allí, a solas contigo" (Mt 6,6).

Cualquiera que sea nuestro estado de aridez, nuestra miseria, el sentimiento de que Dios está ausente, incluso de que nos ha abandonado, nunca debemos poner en duda esta presencia amante y acogedora de Dios junto a quien le reza. "Yo no rechazaré al que venga a mí" (Jn 6,37). Antes de que nos pongamos en su presencia, Dios ya está allí, porque Él es quien nos invita a ir a su encuentro, quien es nuestro Padre y nos espera, y busca mucho más que nosotros mismos entrar en comunión con nosotros. Dios nos desea mucho más de lo que nosotros lo deseamos a Él.

*Fe en que somos llamados
a encontrar a Dios en la oración*

Cualesquiera que sean nuestras dificultades, resistencias u objeciones, debemos creer firmemente que todos, sin excepción, sabios o ignorantes, justos o pecadores, personas equilibradas o profundamente heridas, estamos llamados a una cierta vida de oración en la cual Dios se comunicará con nosotros. Y como Dios llama, y es justo, dará a todos las gracias necesarias para perseverar en la oración, y para hacer de esta vida una experiencia profunda y maravillosa de comunión con su propia vida íntima.

La vida de oración no está reservada a una élite de "espirituales", es para todos. La impresión frecuente de que "eso no es para mí, es para personas más santas y mejores que yo", es contraria al Evangelio. Debemos creer también que, por grandes que sean nuestras dificultades y nuestra debilidad, Dios nos dará la fuerza necesaria para perseverar.

Fe en la fecundidad de la vida de oración

Si el Señor nos llama a la vida de oración, es porque ella es fuente, para nosotros, de infinidad de bienes. Nos transforma íntimamente, nos santifica, nos sana, nos hace conocer y amar a Dios, nos vuelve fervientes y generosos en el amor al prójimo. Quien se compromete en una vida de oración debe estar absolutamente convencido de que, mientras persevere, recibirá todo esto y mucho más. Aunque tengamos a veces la impresión contraria: que nuestra vida de oración es estéril, que nos estancamos, que orar no cambia nada; hasta cuando nos parezca que no vemos aparecer en nuestra vida ningún fruto concreto, no debemos desalentarnos sino seguir convencidos de que Dios mantendrá sus promesas: "Pues bien, yo les digo: pidan y se les dará; busquen y hallarán; llamen a la puerta y les abrirán. Porque todo el que pide, recibe; el que busca, halla; y al que llame a la puerta se le abrirá" (Lc 11,9-10). Quien persevere en la confianza recibirá infinitamente más de lo que se atreva a pedir o esperar. No porque lo merezca, sino porque Dios lo ha prometido.

Es una tentación frecuente la de abandonar la oración, por no obtener sus frutos lo suficientemente rápido. Esta tentación debe ser inmediatamente rechazada por un acto de fe en la promesa de Dios, que se cumplirá a su debido tiempo. "Tengan paciencia, hermanos, hasta la venida del Señor. Miren cómo el sembrador cosecha los preciosos productos de la tierra, que ha aguardado desde las primeras lluvias hasta las tardías. Sean también ustedes pacientes y no se desanimen, porque la venida del Señor está cerca" (Sant 5,7-8).

Fidelidad y perseverancia

De lo que acabamos de decir se desprende una consecuencia práctica muy importante. Quien entra en una vida de oración debe tender, en primer lugar, a la fidelidad. Lo más importante no es que la oración sea hermosa y acabada, rica en pensamientos y sentimientos profundos, sino que sea perseverante y fiel. En otras palabras, no debemos tender a la calidad de la plegaria; debemos apuntar sobre todo a la fidelidad en la plegaria. La calidad será entonces un fruto de la fidelidad. Vale más y es infinitamente más fecundo para nuestro progreso espiritual, un tiempo de oración pobre, árido, distraído, relativamente breve, pero que se realiza fielmente todos los días; que largas e inflamadas plegarias dichas ocasionalmente, cuando las circunstancias nos llevan a ello. En lo que respecta a la vida de oración, el primer combate a librar —después de tomar la decisión de dedicarse a ella con seriedad— es el de lograr la fidelidad, cueste lo que cueste, de acuerdo con un cierto ritmo que nos hayamos fijado. Y este combate no es fácil. El demonio busca distraernos a cualquier precio de la fidelidad en la oración, pues conoce bien lo que está en juego. Quien es fiel en la oración escapa de su alcance, o al menos tiene la seguridad de poder hacerlo por completo algún día. Por eso hace todo para evitar esta fidelidad. Volveremos sobre ello, pero retengamos esto por ahora: vale más una oración pobre, pero regular y fiel, que momentos de plegaria sublimes, pero esporádicos. La fidelidad, y sólo ella, permite que la vida de oración alcance su maravillosa fecundidad.

Como tenemos ocasión de afirmar muy a menudo, la oración no es, a fin de cuentas, más que un ejercicio de amor a Dios. Pero para nosotros, personas humanas inscritas en el ritmo del tiempo, no hay verdadero amor sin fidelidad. ¿Cómo pretender amar a Dios si no somos fieles al encuentro en la plegaria?

Pureza en la intención

Después de la fe, y de la plegaria que es su expresión concreta, otra actitud interior fundamental para quien quiere perseverar en la oración es la pureza en la intención. Jesús nos dijo: "Felices los de corazón limpio, porque verán a Dios" (Mt 5,8). Y el limpio de corazón, según el Evangelio, no es el que no tiene ningún pecado, el que no tiene nunca nada que reprocharse, sino quien, en todos sus actos, está animado de la intención sincera de olvidarse de sí mismo para agradar a Dios, de vivir no para él sino para Dios. Esta disposición de ánimo es indispensable para quien quiere orar. Debemos hacerlo no para buscarnos a nosotros mismos, para agradarnos, sino para agradar a Dios. Sin esto no podremos perseverar en la oración. Quien se busca a sí mismo, a su propia satisfacción, abandonará muy pronto la oración cuando se vuelva árida, difícil, y no le dé ya el placer y las satisfacciones que espera de ella. El amor verdadero es limpio, es puro cuando no busca su propio interés, sino que tiene como único fin el buscar la alegría del ser amado. Es por eso que debemos orar, no por las satisfacciones o beneficios que saquemos de ello (¡aun cuando éstos sean inmensos!), sino principalmente para agradar a Dios, y porque Él nos lo pide. No en primer lugar para nuestra alegría, sino para la alegría de Dios.

Esta pureza en la intención es exigente, pero también muy liberadora y pacificadora. Quien se busque a sí mismo se sentirá pronto descorazonado e inquieto cuando la oración "no resulte". Quien ama limpiamente a Dios no se preocupa por ello: si la oración es trabajosa y no obtiene de ella ninguna satisfacción, esto no lo desespera, y se consuela rápidamente, diciéndose que lo que importa es brindar nuestro tiempo gratuitamente a Dios, para su sola alegría.

Podríamos objetar que sería hermoso poder amar a Dios con esa pureza, pero ¿quién es capaz de ello? Es cierto que la pureza en la intención que acabamos de describir es indispensable, pero también es cierto que no puede existir completamente desde el comienzo de nuestra vida espiritual. Sólo se nos pide que tendamos conscientemente a ello, y que la pongamos en práctica lo mejor que podamos en los momentos de aridez en los que debamos ejercerla.

Es muy evidente que toda persona que recorre un camino espiritual, se busca en parte a sí misma, al mismo tiempo que busca a Dios. Eso no es grave, mientras no deje de aspirar a un amor hacia Dios cada vez más puro.

Esto debe decirse para desenmascarar una trampa frecuente de la cual el demonio, el acusador, se vale para inquietarnos y abatirnos, poniendo en evidencia que nuestro amor por Dios es aún muy imperfecto y débil y que hay todavía mucho de búsqueda de nosotros mismos en nuestra vida espiritual, de tal manera que ello nos desalienta. Sin embargo, cuando tengamos esta impresión de que nos estamos buscando demasiado a nosotros mismos en la plegaria, no debemos preocuparnos sino expresar a Dios, con simpleza, nuestro deseo de amarlo con un amor puro y desinteresado, y abandonarnos totalmente a Él, con la confianza de que Él mismo se encargará de purificarnos. Querer hacerlo por nuestros propios medios, discernir en nosotros mismos lo puro de lo impuro para desembarazarnos de estas malas hierbas antes de tiempo, sería pura presunción; correríamos el riesgo de arrancar también, junto con ellas, el trigo (cfr Mt 13,20-34).

Dejemos obrar en nosotros la gracia de Dios; contentémonos con perseverar en la confianza, apoyando con paciencia los momentos de aridez que Dios no impedirá, con el fin de purificar nuestro amor por Él.

Digamos algunas palabras acerca de otra tentación que puede surgir alguna vez. Hemos dicho que la pureza en la intención consiste en buscar agradar a Dios antes que a sí mismo. El demonio buscará entonces desalentarnos con este argumento: ¿Cómo puedes pretender que tu oración agrade a Dios, con todos tus defectos y miserias? Debemos responder con una verdad que está en el corazón del Evangelio y que la pequeña Teresa, inspirada por el Espíritu Santo, nos recuerda: el hombre no agrada a Dios principalmente por sus virtudes y sus méritos sino, sobre todo, por la confianza sin límites en su misericordia. Volveremos sobre esto.

Humildad y pobreza de corazón

Hemos citado ya las palabras de santa Teresa de Ávila: "Todo el edificio de la oración está construido sobre la humildad". En efecto, como hemos dicho, tiene sus cimientos, no en las capacidades del hombre, sino en la acción de la gracia divina, y las Escrituras dicen: "Dios resiste a los orgullosos, pero da su gracia a los humildes" (1Pe 5,5).

La humildad, por lo tanto, forma parte de estas actitudes fundamentales del corazón, sin las cuales es imposible perseverar en la oración.

La humildad es la capacidad de aceptar tranquilamente nuestra pobreza radical, porque ponemos toda nuestra confianza en Dios. El humilde acepta alegremente ser nada, porque Dios es todo para él. No considera su miseria como un drama, sino como una suerte, porque da a Dios la oportunidad de manifestar los alcances de su misericordia.

Sin humildad es imposible perseverar en la oración. En efecto, la oración es inevitablemente una experiencia de pobreza, de despojamiento, de desnudez. En las demás actividades espirituales o en las otras formas de plegaria, tenemos siempre algo en qué apoyarnos: un cierto conocimiento que se pone en obra, el sentimiento de hacer algo útil, etc. En la oración comunitaria es posible apoyarse en los otros. Pero en la soledad y el silencio frente a Dios, por el contrario, nos encontramos solos y sin apoyo ante nosotros mismos y nuestra pobreza. Y nos molesta mucho aceptarnos pobres. Es por ello que el hombre tiene una tan natural tendencia a huir del silencio. En la oración es imposible esquivar esta experiencia de pobreza. Es verdad también que tendremos allí, a menudo, la vivencia de la dulzura y la ternura de Dios, pero muy frecuentemente será nuestra miseria la que se revelará: nuestra incapacidad para orar, nuestras distracciones, las heridas de nuestra memoria e imaginación, el recuerdo de nuestras faltas y fracasos, nuestras inquietudes respecto al futuro. El hombre encuentra, entonces, mil pretextos para escapar de esta inactividad frente a Dios que le devela su nada radical, porque a fin de cuentas se niega a consentir ser pobre y frágil.

Pero esta aceptación confiada y alegre de nuestra debilidad es precisamente la fuente de todos los bienes espirituales: "Felices los que tienen el espíritu del pobre, porque de ellos es el Reino de los Cielos" (Mt 5,3).

Humilde es aquel que persevera en la vida de oración sin presumir, sin contar consigo mismo, que no considera nada como dado, no se cree capaz de hacer lo que sea por medio de sus propias fuerzas, no se asombra por tener dificultades, fragilidades, caídas constantes, sino que soporta todo esto en paz, sin dramatizar nada, porque pone en Dios toda su esperanza y tiene la seguridad de obtener de la misericordia divina, todo lo que no es capaz de hacer ni de merecer por sí mismo.

Porque no pone su confianza en sí mismo sino en Dios, el humilde no se desalienta nunca y, en último término, eso es lo más importante. "Es el desaliento el que pierde a las almas", dice Libermann. La verdadera humildad y la confianza van siempre de la mano.

No debemos dejarnos desanimar nunca por nuestra tibieza y nuestro escaso amor hacia Dios. Un principiante en la vida espiritual puede, a veces, leyendo las vidas o los escritos de los santos, desalentarse frente a las expresiones inflamadas de amor de Dios que encuentra en ellas, y de las cuales se siente muy lejos, y decirse a sí mismo que nunca llegará a amar con tal ardor. Es una tentación muy común. Debemos perseverar en la buena voluntad y la confianza: Dios mismo pondrá en nosotros el amor con el que podremos amarlo. El amor fuerte y ardiente hacia Dios no es natural; es infundido en nuestros corazones por el Espíritu Santo, que nos será dado si lo pedimos con la insistencia de la viuda del Evangelio. No son siempre aquellos que tienen el mayor fervor sensible, en un principio, quienes llegan más alto en la vida espiritual. ¡Lejos de ello!

La determinación de perseverar

De lo que recién hemos dicho, se desprende que el principal combate de la oración es el de la perseverancia, para la cual Dios nos dará la gracia, si se la pedimos con confianza y estamos firmemente decididos a hacer aquello que dependa de nosotros.

Es necesaria una buena dosis de determinación, sobre todo al principio. Santa Teresa de Ávila insiste enormemente en esta determinación:

> Ahora para volver a aquellos que desean seguir este camino, sin tregua, hasta el fin, que es llegar a beber esta agua viva, repito que los comienzos son muy importantes; todo consiste en una firme determinación de no darse respiro hasta conseguirlo, cueste lo que cueste, pase lo que pase, por más trabajo que nos

25

dé, murmure quien murmure, a condición de llegar allí, aunque muramos en la ruta, aunque nos falte el coraje ante las pruebas del camino, aunque el mundo se hunda... (*Camino de perfección*, cap. 21).

Vamos a proponer ahora algunas consideraciones destinadas a fortalecer esta determinación y a desenmascarar las trampas, los falsos razonamientos o tentaciones que puedan quebrantarla.

Sin vida de oración, no existe santidad

Ante todo, debemos estar bien convencidos de la importancia vital de la oración. "Quien huye de la oración, huye de todo lo que es bueno", dice san Juan de la Cruz. Todos los santos han orado. Aquellos más comprometidos en el servicio al prójimo eran también contemplativos. San Vicente de Paul comenzaba cada una de sus jornadas con dos o tres horas de oración.

Sin ella es imposible progresar espiritualmente. Pudimos haber vivido momentos muy fuertes de conversión, de fervor, haber recibido gracias inmensas..., pero sin la fidelidad a la oración, nuestra vida cristiana llegará muy pronto a estancarse.

Sin la oración no podemos recibir toda la ayuda que necesitamos de Dios para transformarnos y santificarnos en profundidad. El testimonio de los santos es unánime al respecto.

Se podrá objetar que la gracia santificante nos es conferida también —y principalmente— mediante los sacramentos. La misa es en sí más importante que la oración. Es verdad, pero sin una vida de oración, los sacramentos mismos tendrán una eficacia limitada. Es verdad que confieren una gracia, pero ésta será en gran parte "estéril" por faltarle la "tierra buena" que la acoja. Podemos preguntarnos, por ejemplo, por qué tantas personas comulgan muy frecuentemente y no son santas. A menudo la causa es la falta de una vida de oración. La Eucaristía no aporta los frutos de curación interior y de santificación que debería, porque no es recibida en un clima de fe, amor, adoración y aceptación de todo nuestro ser, clima que puede ser creado sólo por la fidelidad a la oración. Ocurre lo mismo con los otros sacramentos.

Si una persona, incluso muy practicante y comprometida, no ha hecho un hábito de la oración, le faltará siempre algo al desarrollo de su vida espiritual. No encontrará nunca una verdadera paz interior, estará siempre sujeta a inquietudes excesivas, habrá siempre algo de humano en todo lo que haga: adhesiones a su propia voluntad, algunos rasgos de vanidad, de búsqueda de sí mismo, de ambición, estrechez de juicio y de corazón, etc. No existe purificación profunda ni radical del corazón sin la práctica de la oración. Sin ella se permanece casi siempre en una sabiduría y una prudencia humanas, sin acceder a la verdadera libertad interior. No se conoce verdaderamente el núcleo de la misericordia de Dios y no se sabe tampoco cómo darlo a conocer a los demás. Nuestro juicio permanece estrecho e incierto y no somos capaces de entrar verdaderamente en los caminos de Dios, que son muy diferentes de lo que muchos imaginan, aun entre personas consagradas a la vida espiritual.

Ciertas personas, por ejemplo, tienen una experiencia de conversión muy bella en la Renovación carismática. La efusión del Espíritu es un encuentro luminoso y conmovedor con Dios. Pero luego de algunos meses o años de un caminar ferviente, terminan en el estancamiento, perdiendo una cierta vitalidad espiritual. ¿Por qué? ¿Por qué Dios ha apartado su mano? De ningún modo. "Porque Dios no se arrepiente de sus llamados ni de sus dones" (Rm 11,29). Esto sucede porque no han sabido permanecer abiertos a su gracia, encauzando la experiencia de la Renovación en una vida de oración.

El problema de la falta de tiempo

"Yo verdaderamente querría dedicarme a la oración, pero no tengo tiempo". ¡Cuántas veces hemos escuchado estas palabras! Es verdad que en un mundo como el nuestro, sobrecargado de actividades, la dificultad es real y no podemos subestimarla.

Debemos decir, sin embargo, que no siempre se encuentra allí el problema real. Es importante saber cuáles son las cosas que nos importan más de nuestra vida. Como dijo con humor un autor contemporáneo, el padre Descouvemont, nunca se ha visto que alguien muriera de hambre por no haber tenido tiempo para comer.

Generalmente uno siempre encuentra (o mejor dicho, se toma) el tiempo necesario para hacer lo que se considera vital. Antes de decir que no tenemos tiempo para rezar, empecemos por preguntarnos acerca de nuestra jerarquía de valores, acerca de lo que es verdaderamente prioritario para nosotros.

Me permitiré otra reflexión. Uno de los grandes dramas de nuestra época es que ya no somos capaces de encontrar el tiempo que necesitamos para estar con los otros, para estar presentes con los demás. ¡Y esto provoca tantas heridas! ¡Tantos niños encerrados en sí mismos y decepcionados, sin tener otra cosa que hacer más que estar solos, lastimados porque los padres no saben consagrarles gratuitamente un poco de tiempo para ellos! Se ocupan, sí, del niño, pero haciendo siempre otra cosa al mismo tiempo, o absorbidos por otras preocupaciones, sin estar realmente "con él", sin que sus corazones estén disponibles. El niño lo siente y sufre.

Si aprendemos a dar de nuestro tiempo a Dios, indudablemente seremos más capaces de encontrar tiempo para ocuparnos de los otros. Y estando atentos a Dios, aprenderemos a estarlo también para los demás.

A propósito de este problema del tiempo, debemos hacer un acto de fe en la promesa de Jesús: "Ninguno que haya dejado casa, hermanos, hermanas, madre, padre, hijos o campos por mi causa y por el Evangelio quedará sin recompensa" (Mc 10,29). Es legítimo aplicar esto también al tiempo: quien renuncia a un cuarto de hora de televisión por la plegaria, recibirá el céntuplo en esta vida; el tiempo dado le será centuplicado, no en cantidad ciertamente, pero sí en calidad. La plegaria le dará la gracia de vivir de una manera mucho más fecunda cada instante de su vida.

El tiempo dado a Dios
no es un tiempo robado a los otros

Para perseverar en la oración debemos estar, por lo tanto, bien convencidos (desenmascarando ciertas tentaciones de culpa basadas en un falso concepto de la caridad) de que el tiempo dado a Dios no es nunca un tiempo robado a los otros, a quienes tienen necesidad de nuestro amor y nuestra presencia. Por el contrario, como hemos dicho anteriormente, la fidelidad de estar presentes para Dios es la que garantiza nuestra capacidad de estar presentes con los demás y de amarlos de verdad. La experiencia lo muestra: es

30

en las almas dedicadas a la oración donde se encuentra el amor más atento, más delicado, más desinteresado, el más sensible al sufrimiento del otro, el más capaz de consolar y de reconfortar. La oración nos volverá mejores y nuestro prójimo no tendrá razones para quejarse de ello.

En el terreno de las relaciones entre la vida de oración y la caridad con el prójimo, se han dicho muchas cosas contrarias a la verdad, que han apartado a los cristianos de la contemplación, con consecuencias dramáticas. Podríamos decir mucho al respecto. Veamos simplemente un texto de san Juan de la Cruz para poner en claro este tema y desculpabilizar a los cristianos que, con toda legitimidad, desean consagrar mucho tiempo a la oración.

Que los hombres devorados por la actividad, que creen poder renovar el mundo con sus prédicas y sus otras obras externas, reflexionen un instante. Comprenderán sin mucho esfuerzo que serían más útiles a la Iglesia y más agradables al Señor, sin hablar del buen ejemplo que darían a quienes los rodean, si consagraran la mitad de su tiempo a la oración, aun cuando se encontraran más avanzados en la vida espiritual que aquellas almas de las cuales hablamos aquí. En esas condiciones lograrían, con una sola obra, y con mucho menos esfuerzo, un bien más grande que el que consiguen con mil otras a las que dedican sus vidas. La oración les haría merecedores de tal gracia y les haría conseguir las fuerzas espirituales que necesitan para producir tales frutos. Sin ella, todo se reduce a un gran estruendo; son como el martillo que, cayendo sobre el yunque, hace resonar todos los ecos a su alrededor. Se hace apenas un poco más que nada, a menudo absolutamente nada, o hasta mal. ¡Que Dios nos preserve, en efecto, de un alma como ésta, si viene dispuesta a inflarse de orgullo! Vanamente las apariencias estarán a su favor: la verdad es que no logrará nada, porque es absolutamente cierto que ninguna obra buena puede realizarse sin la virtud de Dios. ¡Cuántas cosas podrían escribirse sobre este tema, si fuera el momento de hacerlo! (*Cántico Espiritual B*, estrofa 29).

¿No basta orar trabajando?

Algunas personas nos dirán: "yo no tengo tiempo para rezar, pero en medio de mis actividades, haciendo mis quehaceres, intento pensar lo más posible en el Señor, le ofrezco mi trabajo, y pienso que eso basta como oración".

Esto no es totalmente falso. Un hombre o una mujer pueden permanecer en íntima unión con Dios en medio de todas sus actividades, de manera que esto constituya su vida total de oración, sin que tengan necesidad de otra cosa. El Señor puede conceder esta gracia a alguien, sobre todo si le es imposible hacer otra cosa. Por otra parte, es evidentemente muy deseable el volver a Dios lo más a menudo posible en medio de nuestras actividades. Y también es verdadero que el trabajo ofrecido y cumplido por Dios se convierte, en cierta forma, en plegaria.

Pero, una vez aclarado esto, seamos realistas: no es tan fácil permanecer unidos a Dios estando sumergidos en nuestras ocupaciones. Por el contrario, nuestra tendencia natural es dejarnos absorber completamente por aquello que hacemos. Si no sabemos, de vez en cuando, parar completamente y tomarnos algunos momentos durante los cuales no tengamos otra cosa que hacer más que pensar en Dios, nos será muy difícil permanecer en su presencia mientras trabajamos. Necesitamos toda una educación previa del corazón y para lograrla, la fidelidad a la oración es el medio más seguro.

Ocurre lo mismo en las relaciones personales: es una ilusión creer que un hombre ama a su mujer y a sus hijos, cuando lleva una vida tan activa que no es capaz de consagrarles momentos en los cuales esté disponible para ellos en un cien por ciento. Sin este espacio de gratuidad, el amor corre el riesgo de agotarse. El amor se dilata y respira en la gratuidad. Debemos saber tomarnos el tiempo para los otros. Y tenemos mucho que ganar mediante esta pérdida, pues es una de las maneras de comprender las palabras del Evangelio: "Quien pierda su vida, la salvará".

Si nos ocupamos de Dios, Él se ocupará de nuestros trabajos, mucho mejor que nosotros.

Reconozcamos humildemente que nuestra tendencia natural es estar dedicados a nuestras actividades, dejarnos apasionar o preocupar demasiado por ellas. Y no podremos curarnos de ello si no tenemos la sabiduría para abandonar regularmente toda actividad, hasta la más urgente e importante, y así dar gratuitamente nuestro tiempo a Dios.

La trampa de la falsa sinceridad

Un razonamiento que se escucha muy frecuentemente y que puede impedirnos ser fieles a la plegaria es el siguiente. En un siglo como el nuestro, enamorado de la libertad, de la autenticidad, se escucha decir a la gente: "Yo a la oración la encuentro formidable, pero rezo sólo cuando me siento motivado para hacerlo. Rezar cuando no tengo ningún deseo de hacerlo sería artificial y forzado, hasta pienso que sería una falta de sinceridad y una forma de hipocresía. Rezaré cuando me surja el deseo...".

A esto podemos responder que si esperamos a que nos surja el deseo, podríamos esperar quizá en vano hasta el fin de nuestros días. El deseo es algo muy hermoso, pero muy cambiante. Existe un motivo igualmente legítimo, aunque mucho más profundo y constante, para incitarnos a buscar a Dios en la oración: sencillamente, el hecho de que Él nos invita a hacerlo. El Evangelio nos pide que oremos sin descanso (cfr Lc 18,1). Aquí nuevamente es la fe —y no el estado de ánimo subjetivo— la que debe ser nuestra guía.

Las nociones de libertad y autenticidad que se expresan en el razonamiento anterior, si bien corresponden al gusto de nuestro tiempo, son ilusorias. La verdadera libertad no consiste en dejarse guiar por los impulsos del momento, sino todo lo contrario: un hombre libre es aquel que no es prisionero de las fluctuaciones de su humor; es aquél cuyas decisiones están determinadas por sus elecciones fundamentales, que no son cuestionables por el capricho de las circunstancias.

La libertad es la capacidad de dejarse guiar por la verdad y no por la parte epidérmica de nuestro ser. Debemos tener la humildad de reconocer que somos superficiales y cambiantes. Una persona que encontramos adorable un día, se convierte en insoportable al día siguiente, porque las condiciones atmosféricas, o nuestro humor, han cambiado... Una cosa que deseamos locamente un día, nos deja fríos al siguiente. Si tomamos nuestras decisiones en ese nivel, nos encontraremos dramáticamente prisioneros de nosotros mismos, de nuestra sensibilidad más superficial.

No nos hagamos ilusiones sobre lo que es la verdadera autenticidad. ¿Cuál es el amor más auténtico? ¿Aquél cuya expresión varía de acuerdo con el día, o el amor estable y fiel q desdice jamás?

La fidelidad a la oración es, pues, una escuela de libertad. Es una escuela de verdad en el amor, porque nos enseña, poco a poco, a poner nuestra relación con Dios en un terreno que no es aquél cambiante e inestable de nuestras impresiones, de nuestras variaciones de humor, de nuestro fervor sensible lleno de altibajos; sino sobre la piedra sólida de la fe, sobre los cimientos de la fidelidad de Dios, inquebrantable como la roca: "Cristo Jesús permanece hoy como ayer y por la eternidad" (Heb 13,8), puesto que "muestra su misericordia siglo tras siglo" (Lc 1,50). Si perseveramos en este camino, veremos también cómo nuestras relaciones con el prójimo, tan superficiales y cambiantes, se vuelven más estables, más profundas, más fieles y, por lo tanto, más felices.

Para concluir este punto, hagamos una última observación. La aspiración del hombre de realizar todo de manera espontánea, libre, sin ataduras, es perfectamente legítima: el hombre no fue creado para estar en conflicto permanente consigo mismo, ni para violentar continuamente a su naturaleza. Que deba en ocasiones hacerlo, es sólo una consecuencia de la división interior producida por el pecado.

Pero dicha aspiración no puede alcanzarse contentándose con dar libre curso a la espontaneidad. Eso sería destructivo, porque ésta no siempre está orientada hacia el bien; necesita de una profunda purificación y curación. Nuestra naturaleza está herida, lo que significa que existe en nosotros una falta de armonía, un desfase frecuente entre aquello a lo que tendemos espontáneamente, para lo cual hemos sido creados; y nuestros sentimientos y la voluntad de Dios, a la cual debemos ser fieles ya que constituye nuestro verdadero bien.

La aspiración a la libertad no puede, por lo tanto, encontrar su verdadera realización más que en la medida en que el hombre se deje sanar por la misericordia divina. En este proceso de curación, la oración juega un rol muy importante. Y se realiza también a través de las pruebas y purificaciones, de esas "noches" de las cuales san Juan de la Cruz ha explicitado tan bien el sentido profundo. Una vez alcanzado ese proceso de curación, de poner en orden nuestras tendencias, el hombre se vuelve perfectamente libre: ama, quiere natural y espontáneamente lo que es conforme a la voluntad de Dios y a su propio bien. Puede seguir sin problema sus tendencias naturales, porque han sido rectificadas y armonizadas con la sabiduría divina. Puede "seguir a su naturaleza", porque ésta ha sido restaurada por la gracia. Esta armonización no se logra totalmente, con seguridad, en esta vida. Sólo será total en el Reino, lo que explica que aquí en la tierra tengamos siempre que resistir a algunas de nuestras tendencias. Pero, ya en esta vida, quien practica la oración se vuelve más y más capaz de amar y hacer espontáneamente el bien, lo que en un principio le costaba grandes esfuerzos. Gracias al trabajo del Espíritu Santo, la virtud se vuelve más fácil y natural para él. Como dice san Pablo: "Allí donde está el Espíritu del Señor, allí está la libertad".

La trampa de la falsa humildad

El razonamiento falso que acabamos de considerar adopta a veces una forma más sutil, que describiremos a continuación, y contra la cual nos conviene estar alertas. Santa Teresa de Ávila estuvo a punto de caer en esta trampa y abandonar la oración (lo que hubiera significado un daño irreparable para toda la Iglesia). Además, éste fue uno de los motivos principales que la llevaron a escribir su autobiografía: prevenirnos contra esta trampa.

Se trata de un punto que el demonio maneja muy hábilmente. La tentación es la siguiente: el alma que comienza a orar se da cuenta de sus faltas, de sus infidelidades, de su no-conversión. Se ve entonces tentada a abandonar la oración razonando así: "Estoy llena de defectos, no progreso, soy incapaz de convertirme y amar seriamente al Señor: presentarme ante Él en este estado es una hipocresía; me hago la santa y no valgo más que los otros que no rezan. Sería más honesto frente a Dios dejar todo".

Santa Teresa se dejó llevar por este razonamiento, como cuenta en el capítulo 19 de su autobiografía. Luego de un tiempo de práctica asidua, abandonó la oración durante más de un año, hasta que encontró un padre dominico que —felizmente para nosotros— la regresó al camino recto. En esa época, nuestra Teresa estaba en el convento de la Encarnación de Ávila. Tenía una buena voluntad para entregarse al Señor y practicar la oración. Pero aún no era santa: ¡lejos de ello! Le costaba particularmente desprenderse de su costumbre de irse al locutorio del convento, siempre que sentía que Jesús la llamaba a la oración. De naturaleza alegre, simpática y atrayente, encontraba gran placer en frecuentar a la buena sociedad de Ávila que se encontraba habitualmente en los locutorios del monasterio. No hacía nada grave, pero Jesús la llamaba a otras cosas. Entonces, el tiempo de la oración era para ella un verdadero martirio: se encontraba en la presencia del Señor, consciente de serle infiel, pero no teniendo aún las fuerzas para dejar todo por Él. Y como ya lo dijimos, este tormento le hizo abandonar la oración: "Soy indigna de presentarme ante el Señor, puesto que no soy capaz de darle todo; es burlarme de Él, mejor sería dejar de orar...".

Teresa llamará a esto la tentación de la "falsa humildad". Había, de hecho, abandonado la oración cuando un confesor llegó a tiempo para hacerle comprender que, haciendo esto, perdía la oportunidad de llegar a mejorar algún día. Era necesario, por el contrario, que perseverara, porque precisamente mediante esta perseverancia obtendría, llegado el momento, la gracia de una conversión completa y una donación total de sí misma al Señor.

Esto es muy importante: cuando nos comprometemos en la vida de oración, no somos aún santos, y no nos damos cuenta de ello si no lo practicamos. Quien no se pone frente a Dios en el silencio no se da cuenta de sus infidelidades y defectos, pero para quien lo hace, éstos se vuelven más y más manifiestos, y esto puede suscitar un gran sufrimiento y la tentación de abandonar la plegaria. No debemos entonces desalentarnos sino perseverar, con la certeza de que la perseverancia obtendrá la gracia de la conversión.

Nuestro pecado, por grave que sea, no debe ser nunca un pretexto para abandonar la oración, al contrario de lo que nuestra conciencia —o el demonio— nos sugiera a menudo. Por el contrario, cuanto más grande sea nuestra miseria, mayor será el motivo para orar. ¿Quién nos sanará de nuestras infidelidades y nuestros pecados sino el Señor misericordioso? ¿Dónde encontraremos nosotros la salud de nuestra alma sino en la plegaria humilde y perseverante? "No es la gente sana la que necesita médico, sino los enfermos... no he venido a llamar a los justos, sino a los pecadores" (Mt 9,13). Cuanto más nos sintamos aquejados por esta enfermedad del alma que es el pecado, tanto más debe ello incitarnos a la oración. Cuanto más estemos heridos, tanto más derecho tenemos a refugiarnos junto al corazón de Jesús. Sólo Él puede curarnos. Si nos alejamos de Él porque somos pecadores, ¿adónde iremos a buscar la curación y el perdón? Si esperamos ser justos para rezar, podemos esperar mucho tiempo. Una actitud semejante sólo prueba que no se ha comprendido para nada el Evangelio. Esto puede tener la apariencia de humildad, pero de hecho es sólo presunción y falta de confianza en Dios.

Sin llegar a dejar completamente la oración, nos sucede a menudo, cuando hemos cometido alguna falta o estamos avergonzados y descontentos con nosotros mismos por la forma en que hemos actuado, que dejamos pasar un tiempo antes de volver a la oración y presentarnos ante el Señor; retornamos cuando el eco de la falta cometida se ha atenuado un poco en la conciencia. Esto es un grave error y pecamos más por esta actitud que por la primera. En efecto, esto demuestra una falta de confianza en la misericordia de Dios, un desconocimiento de su amor y le hiere más gravemente que todas las tonterías que podamos cometer. La pequeña Teresa, que había comprendido quién era Dios, decía: "Lo que alcanza más a Dios, lo que hiere de corazón, es la falta de confianza".

Contrariamente a lo que hacemos habitualmente, la única actitud justa para quien ha pecado —justa en el sentido bíblico, es decir, en conformidad con lo que nos ha sido revelado del misterio de Dios— es arrojarse inmediatamente, con arrepentimiento y humildad, pero también con una confianza infinita, en los brazos de la misericordia divina, con la certeza de ser bienvenido y perdonado. Y una vez que se ha pedido sinceramente perdón a Dios, retomar sin demora los ejercicios de piedad acostumbrados, particularmente la oración. En el momento oportuno se confesará la falta, si es necesario, pero mientras se espera no se deberán cambiar en nada los hábitos de oración. Esta conducta es la más eficaz para hacernos salir un día del pecado, porque es aquella que honra más la misericordia divina.

Santa Teresa de Ávila agrega a esto algo muy hermoso. Dice que quien reza vuelve, seguramente, a tener desfallecimientos y caídas, pero porque ora, cada una de sus caídas lo ayuda a rebotar más alto. Dios hace que todo concurra para el bien y el progreso de quien le es fiel en la oración, incluso sus propias faltas.

Insisto para que ninguno de aquellos que han comenzado a orar flaquee, diciendo: Si recaigo en el mal y continúo orando será mucho peor. Creo que lo sería si se abandonase la oración sin corregir el mal; pero si no se le abandona, créanme que ella os conducirá al puerto de la luz. En este punto libré un largo combate con el demonio; creí durante mucho tiempo que rezar sería, en mi miseria, una falta de humildad. Como lo he dicho ya, renuncié durante un año y medio, un año por lo menos, pues no estoy segura de ello. Esto hubiera sido suficiente, y lo fue, para que me hubiera empujado yo misma al infierno, sin que los demonios tuvieran que llevarme allí. ¡Oh, Dios caritativo, qué inmensa ceguera! Y el demonio tiene razón de no aflojar en este punto, para alcanzar su fin. Sabe, el traidor, que el alma que persevera en la oración está perdida para él, que todas las caídas que provoca sólo ayudan al hombre, por la bondad de Dios, a rebotar aún más alto y a servir mejor al Señor; he aquí pues su interés (*Autobiografía*, cap. 19).

Entregarse totalmente a Dios

Para continuar con las actitudes básicas que permiten la perseverancia y el progreso en la vida de oración, debemos decir ahora algunas palabras acerca del lazo estrechísimo y recíproco que existe entre la oración y el resto de la vida cristiana. Esto significa que, muy a menudo, lo que es determinante para el progreso y la profundización de nuestra plegaria no es lo que hacemos durante el tiempo de oración, sino lo que hacemos fuera de ella. El progreso en la plegaria es esencialmente un avance en el amor, en la pureza de corazón; y el amor verdadero se practica en mayor grado fuera de la oración que dentro de ella. Demos algunos ejemplos.

Sería absolutamente ilusorio pretender progresar en la oración si nuestra vida entera no estuviera marcada por un deseo profundo y sincero de entregarnos totalmente a Dios, de conformar lo más enteramente posible nuestra vida a su voluntad. Sin esto, la vida de oración se estanca pronto: el único medio para que Dios se entregue a nosotros (finalidad de la oración) es que nos entreguemos totalmente a Él. No se llega a poseer todo si no se da todo. Si guardamos en nuestra vida un "dominio reservado", algo que no queremos abandonar en manos de Dios, un defecto, por ejemplo, por pequeño que sea, al que consentimos deliberadamente sin hacer nada por corregirnos, o una desobediencia consciente, o una negativa a perdonar, esto vuelve estéril la vida de oración.

Las hermanas planteaban maliciosamente esta pregunta a san Juan de la Cruz: ¿Qué debemos hacer para entrar en éxtasis? Y el santo respondía, basándose en el sentido etimológico de la palabra "éxtasis": "Renunciar a la propia voluntad y hacer aquélla de Dios. Porque el éxtasis, para el alma, no significa otra cosa que salir de sí y quedar en Dios y esto es lo que hace quien obedece: porque sale de sí y de su voluntad y, aliviado de ella, se une a Dios" (Máxima 210).

Para entregarse a Dios, hay que dejarse a sí mismo. El amor es de naturaleza extática: si es fuerte, vive más en el otro que en sí mismo. Pero, ¿cómo vivir algo de esta dimensión extática del amor en la oración, si durante el resto del día nos buscamos a nosotros mismos, si estamos demasiado apegados a las cosas materiales, a la propia comodidad, a la salud, si no soportamos ninguna contrariedad? ¿Cómo podemos vivir en Dios si no somos capaces de olvidarnos de nosotros mismos en beneficio de nuestros hermanos?

En la vida espiritual existe un equilibrio que debemos buscar y que no es fácil de alcanzar: por una parte debemos aceptar nuestra miseria y no esperar a ser santos para comenzar a orar. Por otra parte debemos, sin embargo, aspirar a la perfección. Sin esta aspiración, sin este deseo fuerte y constante de santidad —aunque sepamos bien que no la alcanzaremos por nuestras propias fuerzas, sino que sólo Dios podrá conducirnos a ella—, la oración no será más que algo superficial, un ejercicio piadoso, pero apenas fructífero. Pertenece a la naturaleza del amor el tender a lo *el* absoluto, incluso a una cierta locura en el don de *amor* ♥ sí mismo.

Debemos tomar conciencia también de que existen estilos de vida que pueden favorecer o, por el contrario, dificultar la oración. ¿Cómo será posible que nos recojamos en presencia de Dios, si durante el resto del día nos dispersamos entre mil cuidados y preocupaciones superficiales; si nos dejamos llevar sin ninguna reserva a la práctica de charlas inútiles, a la persecución de vanas curiosidades; si no existe una cierta juventud del corazón, de la mirada, del espíritu, por la cual evitamos todo lo que pudiera dispersarnos y alejarnos de manera excesiva de lo Esencial?

No podemos vivir, con seguridad, sin ciertas distracciones, sin momentos de respiro, pero es importante saber regresar, siempre a Dios, que da unidad a nuestra vida, y vivir todo bajo su mirada y en relación con Él.

Sepamos también que el esfuerzo por enfrentar toda circunstancia en un clima de abandono total, de confianza apacible en Dios, por vivir en el instante presente sin dejarse torturar por la preocupación del mañana, por ejercitarse en hacer cada cosa en paz, sin preocuparnos de la siguiente, etc., contribuye mucho al crecimiento de nuestra vida de oración. Esto no es fácil, pero nos será de gran beneficio hacerlo tanto como sea posible.[2]

Es muy importante también aprender a vivir, poco a poco, bajo la mirada de Dios, en su presencia, y en una suerte de diálogo continuo con Él, recordándolo lo más a menudo posible en medio de nuestras ocupaciones y viviendo todo en su compañía. Cuanto más nos esforcemos en hacer-

2. A propósito de esto, puede leerse con provecho nuestro libro: *Busca la paz y consérvala. Pequeño tratado sobre la paz del corazón*, San Pablo, México, 2009.

lo, tanto más fácil nos será orar: encontraremos con más naturalidad a Dios en el momento de la oración si nunca lo hemos dejado. La práctica de la oración debe así tender a la plegaria continua, no necesariamente en el sentido de una plegaria explícita sino de una práctica constante de la presencia de Dios. Vivir de esta manera, bajo la mirada de Dios, nos hará libres. Vivimos, de hecho, muy a menudo bajo la mirada de los demás (por miedo a ser juzgados o necesidad de ser admirados), pero reencontraremos la libertad interior sólo cuando hayamos aprendido a vivir bajo la mirada amante y misericordiosa de Dios.

Nos remitimos para ello a los preciados consejos de Laurent de la Résurrection, un hermano carmelita del siglo XVII, de oficio cocinero, que supo vivir una profunda unión con Dios aun en medio de las actividades más absorbentes. Citaremos algunos de estos consejos al final del libro.

Quedan aún muchas cosas por decir sobre este tema de la relación entre la oración y todos los demás componentes del camino espiritual, que no pueden, de ninguna manera, separarse. Algunos puntos serán abordados más adelante, pero otros los remitimos a la mejor fuente, es decir, a la experiencia de los santos, en especial a la de aquéllos en quienes la Iglesia ha reconocido una gracia especial de enseñanza en ese dominio: santa Teresa de Ávila, san Juan de la Cruz, san

Francisco de Sales, santa Teresita del Niño Jesús, por citar sólo algunos nombres.

Todo lo que acabamos de decir hasta ahora no responde aún a esta pregunta: ¿Cómo debemos orar? ¿Cómo debemos concretamente ocupar el tiempo consagrado a la plegaria? Vamos a hacerlo a continuación. Sin embargo, es indispensable considerar estos preámbulos, porque las observaciones que hemos hecho, además de ayudar a superar los obstáculos, describen un cierto clima espiritual que es esencial que captemos, puesto que condiciona la verdad de nuestra oración y su progreso.

Además, si hemos comprendido estas enseñanzas que acabamos de esbozar, desaparecerán automáticamente muchos falsos problemas relacionados con la pregunta: "¿Cómo hacer para orar bien?".

Las actitudes descritas están fundamentadas, no en la sabiduría humana, sino en el Evangelio. Son actitudes de fe, de abandono confiado en las manos de Dios, de humildad, de pobreza de corazón, de infancia espiritual. Como el lector habrá indudablemente notado, estas actitudes deben ser la base, no sólo de nuestra vida de oración, sino de toda nuestra existencia. Aquí se revela una vez más el lazo estrechísimo que existe entre la plegaria y la vida entera: la oración es una escuela, un ejercicio en el que comprendemos, practicamos y profundizamos ciertas actitudes frente a Dios, frente a nosotros mismos y frente al mundo, que se convierten poco a poco en la base de toda nuestra forma de ser y de reaccionar. Mediante la oración, se forma un cierto hábito del ser, que conservamos el resto de nuestra vida, y que nos permite poco a poco acceder en toda circunstancia a la paz, a la libertad interior, al verdadero amor a Dios y al prójimo. La oración es una escuela de amor, pues todas las virtudes que se practican en ella son las que permiten que el amor se expanda en nuestro corazón. Allí reside su vital importancia.

Segunda parte

CÓMO EMPLEAR EL TIEMPO DE LA ORACIÓN

Introducción

Abordemos ahora la pregunta principal que hemos intentado responder. He decidido consagrar todos los días media o tal vez una hora a la oración, ¿qué debo hacer para emplear bien este tiempo?

Responder a esto no es fácil por varias razones. En primer lugar porque las almas son muy distintas. Hay más diferencia entre las almas que entre los rostros. La relación de cada una con Dios es única y, como consecuencia, su plegaria también lo es. No se puede marcar un camino, una forma de actuar generalizada que valga para todos: esto sería una falta de respeto a la libertad y la diversidad de los caminos espirituales. Corresponde a cada creyente descubrir, según la moción y en la libertad del espíritu, por qué caminos quiere Dios que conduzca su vida.

Además debemos saber que la vida de oración está sometida a la evolución y atraviesa distintas etapas. Lo que vale en un momento de la vida espiritual, no vale para otro. La conducta adecuada para la oración puede ser distinta según el momento en que nos encontremos, ya sea al comienzo del camino o que el Señor nos haya ya introducido en ciertos estados particulares, en ciertas "moradas", como diría santa Teresa de Ávila. A veces debemos actuar, otras veces debemos contentarnos con recibir. A veces debemos descansar y otras combatir.

Saber discernir mi momento

Finalmente lo que se vive en la oración es difícil de describir y está a menudo más allá de la conciencia clara de quien ora. Se trata de realidades íntimas, misteriosas, que el lenguaje humano no puede abarcar completamente. No se encuentran siempre las palabras para contar lo que pasa entre el alma y Dios.

Agreguemos, además, que toda persona que habla de la vida de oración lo hace a través de su experiencia o de la de aquellos que se han confiado a ella, y esto es muy limitado en relación con la diversidad y riqueza de las experiencias posibles.

Mi experiencia es limitada

A pesar de estos obstáculos vamos a abordar el tema, esperando simplemente que el Señor nos conceda la gracia de presentar algunas indicaciones que, si bien de ninguna manera deben ser tomadas como respuestas completas e infalibles, puedan ser fuente de luz y de aliento para el lector de buena voluntad.

Cuando el tema no se plantea

Estamos preguntándonos cómo debemos ocupar el tiempo de la oración. Antes de proseguir con este tema, es importante decir que a veces esta pregunta ni siquiera se plantea. Es quizá esto lo que se tiene que considerar primero.

La pregunta no se plantea cuando la oración brota espontáneamente, ya que existe una comunión amorosa que se vive con Dios sin que debamos preocuparnos acerca de cómo ocupar el tiempo. Es lo que debería ocurrir siempre, siendo la oración, según la definición de santa Teresa de Ávila, "un comercio íntimo de amistad, en el cual uno se ocupa a menudo, a solas con ese Dios por el cual uno se siente amado" (*Autobiografía*, cap. 8). Cuando dos personas se aman profundamente, no tienen en general mucho problema para saber cómo vivir los momentos en los cuales se reencuentran... A veces el estar juntos es suficiente para sentirse satisfechos sin que deban hacer nada más. Pero a menudo, nuestro amor por Dios es débil y esto no nos ocurre así.

Para volver a la oración que brota espontáneamente, esta comunión con Dios que nos es dada

El amor en la compañía
- Acompañar en silencio con amor incondicional

52

y que sólo debemos recibir, necesitamos saber que ésta puede encontrarse en distintas etapas del crecimiento espiritual y ser de muy distintas naturalezas.

Existe el caso de la persona recién convertida, muy entusiasmada con su descubrimiento de Dios, llena de la alegría y del fervor del neófito. No tiene problema con su oración, es transportada por la gracia, feliz de consagrar su tiempo a Jesús, teniendo mil cosas que decirle y pedirle, llena de sentimientos de amor y de pensamientos reconfortantes.

feliz de estar en tu compañía padre

Que goce entonces sin escrúpulos de este momento de gracia, que agradezca por ello al Señor, pero que permanezca humilde y se cuide mucho de creerse santa por estar llena de fervor, y de juzgar al prójimo por su falta de celo. La gracia de los tiempos primeros de la conversión no ha suprimido los defectos y las imperfecciones, sólo los ha ocultado. Y esta persona no deberá asombrarse si un día su fervor desaparece, si las imperfecciones que ella creía borradas por su conversión reaparecen con imprevisible violencia. Que persevere y sepa sacar partido del desierto y de la prueba, como lo hizo en el tiempo de la bendición.

Otro caso en el que la pregunta no se plantea se sitúa en el otro extremo, podemos decir, del camino. Es el momento en el cual el dominio de Dios sobre la persona en oración es tal, que ella no puede resistir ni hacer nada; sus fuerzas están atadas, sólo puede entregarse y consentir la presencia de Dios que la invade por completo. Esta persona no debe hacer nada más que decir sí; será necesario, sin embargo, que se abra a un padre espiritual para recibir la confirmación de la autenticidad de las gracias que recibe, porque no se encuentra más, en este momento, en un camino usual, y será bueno abrirse a alguien más. Las gracias extraordinarias en la oración se encuentran a menudo acompañadas de combates y de dudas, de incertidumbres en cuanto a sus causas y, a veces, sólo la apertura del alma puede reasegurar el origen divino de las gracias, para sentirse libre de recibirlas con plenitud.

Hablemos ahora de un caso intermedio, que es el más frecuente. Es bueno hablar de ello porque esta situación que describiremos se manifiesta, en sus comienzos, de manera imperceptible, y pueden existir allí tanto dudas como escrúpulos en cuanto a la conducta a seguir: la persona no sabe si hace bien o mal, pero de cualquier manera no tiene en realidad tanta oportunidad de elegir. Expliquémonos. Se trata de la situación en la cual el Espíritu Santo comienza a introducir a alguien en una oración más pasiva, después de un tiempo en el que su oración ha sido más bien "activa", es decir, que ha consistido principalmente en una cierta actividad hecha de reflexiones, meditaciones, diálogo interior con Jesús, actos de voluntad, como ofrecerse a Él, etc. Retomaremos esto más adelante al hablar de la evolución de la vida de oración.

Y un buen día, a veces sin darnos cuenta, la manera de orar se transforma. La persona experimenta dificultades para meditar, para hablar, entra en una cierta aridez, y se siente más inclinada a permanecer delante del Señor sin decir ni hacer nada, sin pensar en nada en especial, en una suerte de actitud tranquila de atención global y amante a Dios. Esta atención amorosa, que procede del corazón más que de la inteligencia, es por otra parte casi imperceptible. Más adelante, puede volverse más fuerte una suerte de inflamación del amor, pero al comienzo es casi insensible. Y si el alma busca hacer otra cosa, retomar una plegaria más "activa", no lo consigue y casi siempre tiende a regresar a ese estado que hemos descrito. Pero sentirá a veces escrúpulos, pues tendrá la impresión de no estar haciendo nada.

Cuando el alma se encuentra en este estado, debe simplemente quedarse allí, sin inquietarse, agitarse ni conmoverse. Dios quiere así, llevarla a una oración más profunda y ésta es una gracia muy grande. El alma debe dejarse llevar y seguir su inclinación a la pasividad. Es suficiente, para que esté en oración, que exista en el fondo de su corazón esta orientación tranquila hacia Dios. No es el momento de actuar por sí misma, con sus propias facultades y capacidades; es el momento de dejar actuar a Dios. Es importante señalar que este estado no es el dominio total de Dios del cual hemos hablado anteriormente. La inteligencia y la imaginación continúan ejerciendo una cierta actividad; existen pensamientos, imágenes que pasan, que van y que vienen, pero en un nivel superficial, sin que la persona atienda verdaderamente esos pensamientos e imágenes más bien involuntarias. Lo importante no es ese movimiento (inevitable)[3] del espíritu, sino la orientación profunda del corazón hacia Dios.

Hemos planteado aquí ciertas situaciones en las que, de hecho, no debemos hacernos la pregunta: "¿cómo ocupar el tiempo de la oración?", porque la respuesta ya está dada.

Queda el caso en el que sí se hace la pregunta. Se trata de la persona llena de buena voluntad, pero que todavía no está inflamada de amor por Dios, que no ha recibido aún la gracia de una plegaria pasiva, pero que comprende la importancia de la oración y desea entregarse a ella regularmente, sin saber al mismo tiempo cómo hacerlo. ¿Qué aconsejar a esta persona?

No vamos a responder directamente a la pregunta diciendo: durante el tiempo de la oración, hagan esto o aquello, recen de tal o cual manera. Nos parece más juicioso comenzar dando los prin-

---

3. Ver lo que decimos más adelante respecto a las distracciones.

cipios directivos que deben guiar al alma en lo que concierne a su actividad durante la oración.

En los capítulos precedentes hemos explicado cuáles son las actitudes de base que deben orientar al alma que aborda la oración, actitudes de hecho válidas para toda forma de plegaria e incluso para toda la existencia cristiana en su conjunto. Siendo sobre todo lo más importante, como diremos nuevamente, no el cómo ni las recetas, sino el clima, el estado de espíritu en el cual se aborda la vida de oración. Porque es la calidad de este clima lo que condiciona tanto la perseverancia en la oración como su fecundidad.

Vamos ahora a dar algunas orientaciones que, en su conjunto, definan no sólo un clima sino una suerte de paisaje interior, con sus puntos de referencia y sus caminos, paisaje que podrá ser recorrido por quien desee hacerlo, según la etapa del camino en la que se encuentre y el impulso del Espíritu Santo. Conocer al menos parcialmente esos puntos permitirá al fiel orientarse y comprender por sí mismo lo que debe hacer en la oración.

Este "paisaje interior" de la vida de oración del cristiano está definido y modelado por un cierto número de verdades teológicas que vamos a enunciar y explicar a continuación.

Primacía de la acción divina

El primer principio es simple, pero muy importante: *Lo que cuenta en la oración no es tanto lo que nosotros hacemos, sino lo que Dios obra en nosotros durante ese tiempo.*

Es muy liberador saberlo, pues a veces somos incapaces de hacer algo en la oración. Esto no tiene nada de dramático, porque si nosotros no podemos hacerlo, Dios siempre hará algo en lo profundo de nuestro ser, aunque nosotros no lo percibamos. El acto esencial de la oración es, a fin de cuentas, el ponerse y mantenerse en la presencia de Dios. Ahora bien, Dios no es el Dios de los muertos, sino de los vivos. Esta presencia, por ser la de Dios vivo, es actuante, vivificante, sanadora y santificante, en tanto nos quedemos allí conservando una cierta inmovilidad y orientación... pues uno no puede estar frente al fuego y no calentarse; expuesto al sol y no broncearse.

Si nuestra oración consiste solamente en: estar ante Dios sin hacer nada, sin pensar especialmente en nada, sin pensamientos particulares, pero en una actitud profunda del corazón de disponibilidad, de abandono confiado, no podremos hacer nada mejor que esto. Dejamos así a Dios actuar en el secreto de nuestro ser, y esto es en definitiva lo que importa.

Sería un error medir el valor de nuestra oración por lo que hayamos hecho en ese tiempo, tener la impresión de que ésta será buena y útil sólo cuando hayamos dicho y pensado muchas cosas, y sentirnos desolados si no hemos podido hacer nada. Puede ocurrir que nuestra plegaria haya sido paupérrima, y que durante ese tiempo, secreta e invisiblemente, Dios haya obrado cosas prodigiosas en el fondo de nuestra alma, cuyos frutos veremos quizá mucho más tarde... Porque todos los inmensos bienes de los cuales es origen la oración no tienen como causa nuestro accionar, sino la operación, a menudo secreta e invisible, de Dios en nuestro corazón. A muchos frutos de nuestra oración, los veremos sólo en el Reino.

La pequeña Teresa era muy consciente de esto. Ella tenía un problema en su vida de oración: ¡se dormía! No era culpa suya, pues había entrado al Carmelo muy joven, y necesitaba dormir más a su edad. Esta debilidad no la desolaba mucho: "Pienso que los niños pequeños agradan tanto a sus padres cuando duermen como cuando están despiertos; pienso que para operar a sus pacientes, los médicos los duermen. Finalmente, pienso que el Señor ve nuestra fragilidad; que recuerda que sólo somos polvo" (*Manuscrito autobiográfico A*).

En la oración, el componente pasivo es el más importante, sin embargo, no se trata tanto de hacer algo como de no hacerlo y abandonarnos a la acción de Dios. A veces debemos preparar o secundar esta acción mediante nuestra propia actividad, pero muy a menudo sólo debemos consentir pasivamente, y es entonces cuando suceden las cosas más importantes. A veces, hasta es necesario que nuestra propia acción se vea impedida para que Dios pueda actuar libremente en nosotros. Es esto, como ha mostrado muy bien san Juan de la Cruz, lo que explica cierta aridez, cierta incapacidad para hacer funcionar nuestra inteligencia o nuestra imaginación en la oración, la imposiblidad de experimentar algo, o de meditar: Dios nos pone en este estado de aridez, de noche del alma, para ser el único que actúe profundamente en nosotros, como el médico que anestesia al paciente para trabajar tranquilo.

Regresaremos sobre este tema. Retengamos al menos, por el momento, esto: si a pesar de nuestra buena voluntad, somos incapaces de orar bien, de tener buenos sentimientos y sobre todo, bellos pensamientos, no nos sintamos tristes. Ofrezcamos nuestra pobreza a la acción de Dios, haciendo así una oración mucho más valiosa que aquella que nos hubiera hecho sentir satisfechos de nosotros mismos. San Francisco de Sales oraba así: "Señor, soy sólo un leño: ¡préndele fuego!".

Primacía del amor

Pasemos ahora a un segundo principio, también absolutamente fundamental: *La primacía del amor sobre todo lo demás*. Dice santa Teresa de Ávila: "En la oración, lo que cuenta no es pensar mucho, sino amar mucho".

Esto también es muy liberador. A veces no podemos pensar ni meditar, pero, por el contrario, siempre podemos amar. Quien se encuentra agotado, oprimido por las distracciones, incapaz de rezar, puede siempre, en lugar de inquietarse y desalentarse, ofrecer en tranquila confianza su pobreza al Señor; de esta manera, amando, hará una magnífica oración. El amor es rey y siempre en toda circunstancia logra salir adelante. "El amor de todo saca provecho, tanto del bien como del mal", amaba decir la pequeña Teresa, citando a san Juan de la Cruz. El amor saca provecho tanto de los sentimientos como de su ausencia, de los pensamientos como de la aridez, de la virtud como del pecado, etcétera.

Este principio está íntimamente unido al precedente: la primacía de la acción divina en relación con la nuestra. La tarea principal en la oración es amar. Pero en la relación con Dios, amar es dejarse amar. Y esto no es tan fácil como parece. Debemos creer en el amor, aun cuando tenemos una facilidad tan grande para dudar de él. Debemos aceptar también nuestra pobreza.

Nos es más fácil, a menudo, amar que dejarnos amar. Cuando somos nosotros los que hacemos algo, los que damos, eso nos gratifica: nos creemos útiles. Dejarse amar supone aceptar el no hacer nada, el no ser nada. Nuestro primer trabajo en la operación es este: no pensar, ni ofrecer, ni hacer nada para Dios, sino dejarnos amar por Él como pequeños. Dejar a Dios la alegría de amarnos. Esto es difícil, porque supone creer completamente en el amor de Dios por nosotros. Y esto implica también consentir a nuestra pobreza. Y aquí tocamos una verdad absolutamente fundamental: no existe un verdadero amor por Dios que no esté establecido en el reconocimiento de la absoluta prioridad del amor de Dios por nosotros, que no comprenda que, antes de hacer ninguna otra cosa, debemos recibir. "En esto está el amor, nos dice san Juan, no es que nosotros hayamos amado a Dios, sino que Él nos amó primero..." (1Jn 4,10).

Desde el punto de vista de Dios, el primer acto de amor, el que debe estar en la base de todo lo que hacemos y lo que pensamos, es este: creer que somos amados, dejarnos amar en nuestra pobreza, como somos, e independientemente de nuestros méritos y nuestras virtudes. Si esto permanece como fundamento de nuestra relación con Dios, esta relación será justa. Si no, se verá siempre falseada por un cierto fariseísmo, en el cual el centro, el primer lugar, no estará a fin de cuentas ocupado por Dios, sino por nosotros mismos, por nuestra actividad y virtud, etcétera.

Este punto de vista es al mismo tiempo muy exigente (demanda un gran descentramiento, un gran olvido de nosotros mismos), pero también muy liberador. Dios no espera de nosotros actos ni obras, ni la producción de un cierto bien. Somos servidores inútiles. "Dios no necesita nuestras obras, pero tiene sed de nuestro amor", dice Teresa del Niño Jesús. Nos pide en primer lugar que nos dejemos amar, que creamos en su amor, y esto siempre es posible. La oración es fundamentalmente: pararnos en la presencia de Dios para dejar que nos ame. La respuesta de amor es rápida, ya sea durante o fuera de la oración. Si nos dejamos amar, es Dios mismo quien producirá el bien en nosotros y nos permitirá realizar "las buenas obras que Dios dispuso de antemano para que nos ocupáramos en ellas" (Ef 2,10).

Se deduce también de esta primacía del amor que nuestra actividad en el amor debe estar guiada por este principio: lo que debemos hacer es aquello que favorezca y fortifique el amor. He aquí el único criterio que permite decir si es bueno o malo hacer esto o aquello en la oración. Es bueno todo lo que lleva al amor. Pero a un amor verdadero, no a un amor superficialmente sentimental (aunque los sentimientos ardientes tienen su valor como expresión del amor, si Dios nos hace sacar beneficio de ellos).

Los pensamientos, las consideraciones, los actos interiores que nutren o expresan nuestro amor por Dios, que nos hacen crecer en el reconocimiento y la confianza en Él, que despiertan o estimulan el deseo de darnos enteramente a Él, de pertenecerle, de servirle fielmente como único Señor, etc., deben constituir habitualmente la parte principal de nuestra actividad en la oración. Todo lo que fortalezca nuestro amor por Dios es un buen tema de oración.

Tender a la simplicidad

Una consecuencia de esto es la siguiente: debemos estar atentos en la oración a no dispersarnos, a no multiplicar los pensamientos y las consideraciones, en las que existiría en definitiva más la búsqueda de un alto vuelo que de una efectiva conversión del corazón. ¿De qué me sirve tener pensamientos elevados y variados sobre los misterios de la fe, cambiar constantemente de tema de meditación, recorriendo todas las verdades de la teología y todos los pasajes de las Escrituras, si no emerjo de esto con la resolución de entregarme a Dios y renunciar a mí mismo por amor a Él? "Amar", dice santa Teresa del Niño Jesús, "es darlo todo y darse uno mismo". Si mi oración cotidiana consistiera en un solo pensamiento sobre el cual volviera incansablemente, como incitar a mi corazón a entregarse por entero al Señor, fortalecerme sin cesar en la resolución de servirle y confiarme a Él, esta oración sería más pobre, pero indudablemente mucho mejor.

Para continuar con el tema de la primacía del amor, recordemos un hecho en la vida de santa Teresa de Lisieux. Poco antes de su muerte, estando santa Teresa muy enferma y en cama, su hermana (la madre Agnes) entró en su habitación y le preguntó:

–¿En qué piensas?

–No pienso en nada; no puedo hacerlo, sufro demasiado, por eso rezo.

–¿Y qué le dices a Jesús?

Y Teresa respondió:

–No le digo nada, lo amo.

He aquí la oración más pobre, pero más profunda: un simple acto de amor, más allá de todas las palabras, de todos los pensamientos. Debemos tender a esa simplicidad. A fin de cuentas, nuestra oración no debería ser más que eso: sin palabras, ni pensamientos, ni una sucesión de actos particulares y distintos, sino un solo acto único y simple de amor. Pero nosotros, a quienes el pecado ha vuelto tan complicados, tan dispersos, necesitamos mucho tiempo y un profundo trabajo de la gracia para llegar a esta simplicidad. Conservemos al menos este pensamiento: el valor de la oración no se mide por la multiplicidad y abundancia de las cosas que hagamos; por el contrario, nuestra oración valdrá más en tanto más se asemeje a este simple acto de amor. Y, normalmente, cuanto más progresamos en la vida espiritual, más se simplifica nuestra oración. Retomaremos esto cuando hablemos de la evolución de la vida de oración.

Antes de terminar de hablar sobre este punto, queremos advertir acerca de una tentación que puede surgir durante la oración. Ocurre a menudo, cuando estamos orando, que aparecen en nuestra mente pensamientos bellísimos y profundos, como iluminaciones acerca del misterio de Dios, o perspectivas entusiastas relativas a nuestra vida, etc. Esta especie de intuiciones o pensamientos (que pueden parecernos geniales en ese momento), nos tienden una trampa contra la cual debemos estar en guardia.

Existen a veces iluminaciones e inspiraciones elevadas que Dios nos comunica durante la oración. Pero debemos saber que algunos de esos pensamientos que nos surgen pueden constituir una tentación; al mantenerlos nos apartamos, en efecto, de una presencia más pobre, pero más agradable a Dios. Estos pensamientos nos arrastran, nos exaltan un poco quizá, y terminamos por cultivarlos y estar más atentos a ellos que al mismo Dios. Y, por otra parte, una vez acabado el tiempo de la oración, nos damos cuenta de que todo recae y de que nada nos queda de esa exaltación.

Dios se entrega a través de la humanidad de Jesús

Veamos ahora, después de la primacía del amor divino y de la del amor, un tercer principio fundamental que sostiene la vida contemplativa del cristiano: encontramos a Dios en la humanidad de Jesús.

Si oramos, es para entrar en comunión con Dios. Pero a Él, nadie lo conoce. ¿Cuál es entonces el medio que nos ha sido dado para encontrar a Dios? Existe un solo mediador, que es Cristo Jesús, verdadero Dios y verdadero hombre. La humanidad de Jesús, en tanto humanidad del Hijo, es para nosotros la mediación, el punto de apoyo a nuestro alcance, por el cual nos es dado, con certeza, poder encontrar a Dios y unirnos con Él. En efecto, dice san Pablo: "En Él permanece toda la plenitud de Dios en forma corporal" (Col 2,9). La humanidad de Jesús es ese sacramento primordial por el cual la Divinidad se vuelve accesible a los hombres.

Somos seres de carne y hueso, y tenemos necesidad de apoyos sensibles para acceder a las realidades espirituales. Dios lo sabe, y es esto lo que explica todo el misterio de la Encarnación. Tenemos necesidad de ver, de tocar, de escuchar. La humanidad sensible y concreta de Jesús es para nosotros la expresión de esta maravillosa condescendencia de Dios, que sabe de qué estamos hechos, y que nos da la posibilidad de acceder humanamente a lo divino, de tocar lo divino por medios humanos. Lo espiritual se ha hecho carnal. Jesús es para nosotros el camino hacia Dios: "El que me ve a mí ve al Padre", dice Jesús a Felipe que le pide: "Muéstranos al Padre, y eso nos basta" (Jn 14,8-9).

Allí hay un muy grande y hermoso misterio. La humanidad de Jesús en todos sus aspectos, aun en los más humildes y aparentemente secundarios, es para nosotros como un inmenso *espacio de comunión con Dios*. Cada aspecto de esta humanidad, cada uno de sus rasgos, hasta el más pequeño y escondido, cada una de sus palabras, cada uno de sus hechos y gestos, cada etapa de su vida, desde la concepción en el seno de María hasta la Asunción, nos pone en comunión con el Padre si lo recibimos en la fe. Recorriendo esta humanidad, como un paisaje que nos pertenece, como un libro escrito para nosotros, apropiándonos de ella en la fe y el amor, no dejamos de crecer en una comunión con el misterio inaccesible e insondable de Dios. Esto significa que la oración del cristiano estará siempre fundamentada en una cierta relación con la humanidad del Salvador.[4]

---

4. Se sabe cómo santa Teresa de Ávila estaba convencida de esta verdad contra quienes enseñaban que, para llegar a la unión con Dios, a la contemplación pura, era necesario, llegado el momento, abandonar toda referencia sensible, incluso la humanidad del Señor. Cfr *Autobiografía*, cap. 22 y *Sextas Moradas*, VII.

Las distintas formas de oración cristiana (daremos algunos ejemplos a continuación) encuentran toda su justificación teológica y tienen como denominador común el poner en comunicación con Dios por medio de un cierto aspecto de la humanidad de Jesús. Y por ser la humanidad de Jesús el sacramento sagrado, el signo eficaz de la unión del hombre con Dios, nos basta estar unidos en la fe a ella para encontrarnos en comunión con Dios.

Bérulle expresa de manera muy hermosa cómo los misterios de la vida de Jesús, aunque hayan transcurrido en el tiempo, continúan siendo realidades vivientes y vivificantes para quien los contempla en la fe:

Debemos plantear la perpetuidad de estos misterios de una cierta manera: puesto que han pasado en cierta forma, y perduran y son presentes y eternos, de otra forma. Han pasado en cuanto a su ejecución, pero están presentes en cuanto a su virtud, y su virtud no pasa jamás, así como el amor con que fueron ejecutados no pasará jamás. El espíritu, pues, el estado, la virtud, el mérito del misterio está siempre presente... Esto nos obliga a tratar las cosas y el misterio de Jesús, no como cosas pasadas y extinguidas, sino como cosas vivas y presentes, de las cuales debemos también recoger un fruto presente y eterno.

Bérulle lo aplica, por ejemplo, a la infancia de Jesús:

La infancia del Hijo de Dios es un estado pasajero; las circunstancias de esta infancia han pasado y ya no es más niño, pero hay algo de divino en este misterio, que perdura en el cielo y que opera una forma de gracia semejante en las almas que están en la tierra, que place a Dios afectar y dedicar a este humilde y primer estado de su persona.

Existen mil formas de estar en contacto con la humanidad de Jesús: contemplar sus hechos y sus gestos, meditar sobre sus actos y sus palabras, sobre cada uno de los acontecimientos de su vida terrenal, conservarlo en nuestra memoria, mirar su imagen en un ícono, adorarlo en su Cuerpo en la Eucaristía, pronunciar su nombre con amor y guardarlo en nuestro corazón, etc. Todo esto permite orar, con la sola condición de que dicha actividad no sea una curiosidad intelectual sino una búsqueda amorosa: "Busqué al amor de mi alma" (Cant 3,1).

En efecto, lo que nos permite apropiarnos plenamente de la humanidad de Jesús, y entrar así en comunión real con el insondable misterio de Dios, no es la especulación de la inteligencia, sino la fe como virtud teologal, es decir, la fe animada por el amor. Sólo ella tiene el poder, la fuerza necesaria —como insistirá persistentemente san Juan de la Cruz— para hacernos entrar realmente en posesión del misterio de Dios a través de la persona de Cristo. Sólo ella nos permite llegar realmente a Dios en la profundidad de su misterio. La fe, que es adhesión de todo el ser al Cristo, en quien Dios se entrega a nosotros.

La consecuencia de esto, como ya lo hemos dicho, es que el modo privilegiado de orar para el cristiano es comulgar con la humanidad de Jesús. Con el pensamiento, la mirada, el movimiento de la voluntad, y según los distintos caminos, a cada uno de los que corresponde, si podemos decirlo así, un "método de oración".

Una forma clásica de entrar en la vida de oración, al menos en Occidente, es aquella que aconseja santa Teresa de Ávila: vivir en compañía de Jesús como con un amigo con el que se dialoga, al que se escucha, etcétera:

Podemos imaginarnos ante Cristo, ejercitarnos en enamorarnos vivamente de su humanidad sagrada, vivir en su presencia, hablarle, pedirle lo que necesitamos, lamentarnos ante Él por nuestras penas, alegrarnos con Él de nuestras alegrías, y no olvidarlo por ello, sin buscar oraciones almidonadas, sino palabras conformes con nuestros deseos y necesidades. Es una manera excelente de hacer rápidos progresos. A quienes se esfuerzan en vivir así, en esta preciosa compañía, en sacar provecho de ella, en sentir un verdadero amor por este Señor, a quien tanto debemos, yo los considero muy adelantados (*Autobiografía*, cap. 12).

Más adelante daremos otros ejemplos.

Dios vive en nuestro corazón

Queremos enunciar ahora un cuarto principio teológico que es de gran importancia también para guiarnos en la vida de oración. Por su intermedio, queremos unirnos a la presencia de Dios. Por otra parte, los modos de la presencia divina son múltiples, lo que explica también la diversidad en los modos de orar: Dios está presente en la creación y se le puede ver allí; está presente en la Eucaristía y podemos adorarlo en ella; está presente en la Palabra y podemos encontrarlo meditando sobre las Escrituras, etcétera.

Pero existe otra modalidad de la presencia de Dios que tiene consecuencias muy importantes para la vida de oración, y es la presencia de Dios en nuestro corazón.

Como todas las otras formas de la presencia de Dios, ésta no es en principio objeto de la experiencia (puede llegar a serlo, poco a poco, en ciertos momentos privilegiados...), pero sí objeto de la fe: con independencia de lo que podamos experimentar, sabemos, a ciencia cierta, por la fe, que Dios habita en el fondo de nuestro corazón.

"¿No saben que su cuerpo es templo del Espíritu Santo?", dice san Pablo (1Cor 6,19).

Santa Teresa de Ávila nos cuenta que comprender esta verdad fue para ella una iluminación que transformó profundamente su vida de oración.

> Creo que si hubiera comprendido, como comprendo hoy, que en este pequeñísimo palacio que es mi vida, vivía un Rey tan grande, no lo hubiese dejado solo tan a menudo, me hubiese quedado de vez en cuando junto a Él y hubiese hecho lo necesario para que el palacio estuviese menos sucio. ¡Qué admirable es pensar que Aquel cuya grandeza llenaría mil mundos y mucho más, se encierra así dentro de algo tan pequeño! En verdad, como Él es el Maestro y es libre, y como nos ama, se reduce a nuestro tamaño... (*Camino de perfección*, cap. 28).

Todos los aspectos de recogimiento, de interioridad, de volver sobre sí mismo, que pueden existir en la vida de oración, encuentran aquí su verdadero sentido. Sin ello, el recogimiento sería sólo un replegarse sobre sí mismo. El cristiano puede legítimamente volverse sobre sí porque, más allá y más profundamente que todas sus miserias interiores, encuentra a Dios, "más íntimo a nosotros que nosotros mismos", según la expresión de san Agustín, Dios que habita en nosotros por la gracia del Espíritu Santo.

✳ "El centro más profundo del alma es Dios", dice san Juan de la Cruz (*Vive Flamme*, I, 3).

En esta verdad se encuentra la justificación de todas las formas de oración como "plegaria del corazón". Descendiendo con fe a su propio corazón, el hombre se une allí a la presencia de Dios que lo habita. Si en la oración existe este movimiento por el cual nos unimos a Dios como Otro, como externo, fuera de nosotros (y presente de manera eminente en la humanidad de Jesús), existe también lugar en ella para este movimiento por el cual descendemos al interior de nuestro propio corazón para reunirnos allí con Jesús, tan cerca, tan accesible.

"¿Quién subirá al cielo y nos lo traerá?... ¿Quién pasará hasta el otro lado (del mar) y nos lo traerá?... Todo lo contrario, mi palabra ha llegado bien cerca de ti, ya la tienes en la boca (y en tu corazón)..." (Dt 30,14).

¿Piensan ustedes que es poco importante para un alma aturdida comprender esta verdad, ver que no tiene necesidad de ir al cielo para hablar con su Padre eterno, ni para deleitarse con Él, y que no es necesario que le hable con grandes gritos? Por bajo que le hable, está tan cerca de nosotros que nos escucha; el alma no necesita alas para ir a buscarlo. Sólo buscar la soledad para verlo dentro de sí misma, sin asombrarse de encontrar allí tan gran huésped. Con gran humildad hablarle como a un padre, contarle sus necesidades, sus penas como a un padre, pedirle que les ponga remedio, comprendiendo bien que no es digna de ser su hija (Santa Teresa de Ávila, *op. cit.*).

Cuando no sabemos cómo orar, debemos proceder simplemente así: recojámonos, hagamos silencio y entremos en nuestro propio corazón; entremos más profundamente en nosotros mismos y reencontremos mediante la fe esta presencia de Jesús que nos habita, quedándonos apaciblemente con Él. No lo dejemos solo; hagámosle compañía el mayor tiempo posible. Y si perseveramos en este ejercicio, no tardaremos en descubrir la realidad de lo que los cristianos orientales llamaban "el lugar del corazón" o la "célula interior", para hablar como santa Catalina de Siena, este centro de nuestra persona en el que Dios se ha establecido para estar con nosotros, y en el que podemos siempre estar con Él. Este espacio interior de comunión con Dios existe, nos ha sido dado, pero muchos hombres y mujeres ni siquiera lo sospechan, porque nunca han entrado en él, nunca han descendido a este jardín para recoger sus frutos. Feliz el que hace este descubrimiento del *Reino de Dios dentro suyo, porque su vida será cambiada.*

Es verdad que el corazón del hombre es un abismo de miseria y de pecado. Pero, más profundamente, está Dios. Para retomar una imagen de santa Teresa de Ávila, el hombre que persevera en la oración es como aquel que va a sacar agua de un pozo: tira su balde, y al comienzo sólo retira barro. Pero si tiene confianza y persevera, llegará el día en el que encontrará en su corazón un agua muy pura: "Pues el que cree en mí tendrá de beber. Lo dice la Escritura: 'De él saldrán ríos de agua viva'" (Jn 7,38).

Esto es de gran importancia para toda nuestra vida. Si descubrimos, gracias a la perseverancia en la oración, ese "lugar del corazón", poco a poco nuestros pensamientos, nuestras elecciones y acciones, que demasiado a menudo brotan de la parte superficial de nuestro ser (nuestras inquietudes, debilidades, reacciones inmediatas...) procederán de este centro profundo del alma en el que estamos unidos a Dios por el amor. Accederemos a una nueva forma de ser, en la cual todo procede del amor, y entonces seremos libres.

Hemos enunciado aquí cuatro principios que deben orientar nuestra actividad durante la oración: primacía de la acción de Dios, primacía del amor, la humanidad de Jesús como instrumento de comunión con Dios y, finalmente, la presencia de Dios que vive en nuestro corazón. Estos son los principios que deben servirnos de referencia para vivir bien el tiempo de la oración.

Pero, como hemos dicho antes, para comprender lo que debe ser nuestra plegaria, debemos también tomar en cuenta la evolución de la vida de oración: las etapas de la vida espiritual. Vamos ahora a abordar este tema.

EVOLUCIÓN DE LA VIDA DE ORACIÓN

De la inteligencia al corazón

Evidentemente, la vida de oración no es una realidad estática: tiene su desarrollo, sus etapas y su progreso no siempre es lineal, sino también, muchas veces y al menos en apariencia, tiene retrocesos.

Los autores espirituales que tratan el tema de la oración tienen también la costumbre de distinguir distintas fases en el progreso de la oración, diferentes "estados de oración". Desde los más comunes a los más elevados, que marcan el itinerario del alma en su unión con Dios. El número de estas fases y la forma de clasificarlas varía según el autor. Santa Teresa de Ávila hablará de siete moradas, otro distinguirá tres fases (purgativa, iluminativa y unitiva); ciertos autores harán seguir a la meditación, la oración efectiva, luego la oración de la simple mirada y la oración de la quietud, antes de hablar del sueño de las potencias, del rapto, del éxtasis, etc.

No queremos entrar en la consideración detallada de las etapas de la vida de oración y de las gracias —y las pruebas— de orden místico que encontramos en ella (aunque todo esto sea mucho más frecuente de lo que se cree). Referimos a los lectores, autores más competentes y, de todas maneras, no consideramos que sea necesario tratar el tema, por el público al cual destinamos este libro. Agreguemos también que los esquemas que describen el caminar en la vida de oración no deben ser tomados nunca de forma rígida, como una suerte de itinerario obligado, sobre todo en la actualidad, cuando la sabiduría de Dios parece complacerse en trastornar las leyes clásicas de la vida espiritual. Dicho esto, debemos sin embargo hablar de lo que constituye para nosotros la primera gran evolución, la transformación fundamental de la vida de oración, de la cual son sólo consecuencia todas las evoluciones ulteriores. Además, ya nos hemos referido a ella.

Esta evolución es llamada con diferentes nombres según los distintos puntos de vista y las diversas tradiciones espirituales, pero creo que se le encuentra un poco en todas partes, aun cuando los caminos que se aconsejen o describan en ellas tengan puntos de partida muy distintos. El Occidente, por ejemplo, que propone habitualmente (o proponía, puesto que actualmente el acceso a la vida de oración se realiza a menudo por otras vías) la meditación como método de inicio para la práctica de la oración, hablará del pasaje de la *meditación* a la *contemplación*. San Juan de la Cruz escribió largamente sobre este tema, dando la descripción de esta etapa y los criterios que permiten identificarla.

La tradición oriental de la Plegaria de Jesús (también llamada Plegaria del Corazón), popularizada entre nosotros en estos últimos años por el libro *Relatos de un peregrino ruso*, y que tiene como punto de partida la repetición incansable de una breve fórmula que contiene el nombre de Jesús,[5] habla de ese momento en el cual la oración *desciende de la inteligencia al corazón*.

Se trata esencialmente del mismo fenómeno, aun cuando esta transformación —que puede ser descrita también como una simplificación de la oración, como el pasaje de una plegaria "activa" a otra más "pasiva"— puede tener manifestaciones muy diversas según la persona y su itinerario espiritual.

¿En qué consiste esta transformación? En un don particular de Dios, que recibe un día la persona que ha perseverado en la oración. Don que de

5. Volveremos a hablar de esta forma de oración.

ninguna manera puede ser forzado. Que es pura gracia aun cuando, ciertamente, la fidelidad a la oración tenga gran importancia para preparar y favorecer dicha gracia. Don que puede llegar rápidamente, a veces luego de sólo unos pocos años, o quizá nunca. Que puede ser otorgado de manera casi imperceptible en sus comienzos. Que puede no ser permanente, al menos en sus inicios, y estar sujeto a progresos y retrocesos.

La característica esencial de este don es la de hacer pasar de una oración en la cual predomina la actividad humana (repetición voluntaria de una fórmula, como en el caso de la Plegaria de Jesús, o de la actividad discursiva del espíritu, en el caso de la meditación, en la cual se escoge un texto o un tema, se le considera haciendo funcionar la reflexión y la imaginación, se extraen de ella afectos y resoluciones, etc.), a una oración en la cual sea la actividad divina la que predomine, y el alma debe tender más a dejarse estar que a hacer, y a mantenerse en una actitud de simpleza, de abandono, de atención amorosa y apacible ante Dios.

En el caso de la Plegaria de Jesús, es ésta la experiencia que la plegaria derrama por sí misma en el corazón, poniéndolo en un estado de paz, de satisfacción y de amor. En el caso de la meditación, la entrada en esta nueva etapa se manifiesta a menudo por una suerte de aridez, por una incapacidad de hacer jugar la reflexión y una tendencia a dejarse estar sin hacer nada

80

ante Dios. Un "hacer nada" que no es inercia ni pereza espiritual, sino abandono amoroso.

Esta transformación debe ser recibida como una gran gracia aunque, en el caso de aquellos que durante largo tiempo han estado acostumbrados a hablar mucho al Señor, o a meditar, sintiéndose bien con ello, esta gracia puede ser algo desconcertante. El alma tiene la impresión de retroceder, de que su plegaria se empobrece, y sentirse impotente para orar. No puede ya rezar como acostumbraba hacerlo, es decir, mediante la actividad de su inteligencia, de su discurso interior apoyado en sus pensamientos, sus imágenes, sus gustos sensibles.

San Juan de la Cruz debió insistir en sus obras (tomando incluso partido muy vehementemente contra ciertos directores de almas que no entendían esto) para convencer a quienes habían recibido esta gracia de que debían acogerla, debían aceptar este empobrecimiento aparente como su verdadera riqueza, y no pretender volver a cualquier costo a la meditación, contentándose con permanecer delante de Dios en una actitud de olvido de sí mismo y de simple atención amorosa y tranquila.

Esta pobreza, ¿por qué es una riqueza?

¿Por qué es una gracia tan grande el pasaje a esta nueva etapa que acabamos de describir?

Por una razón muy simple y fundamental, que san Juan de la Cruz explica muy bien. Todo lo que comprendemos acerca de Dios no es todavía Dios; todo lo que podamos pensar, imaginar o sentir acerca de Dios no es aún Dios. Porque Él está infinitamente más allá de todo eso, de toda imagen, de toda representación y percepción sensible. Pero, por otra parte, no está más allá de la fe ni del amor. La fe, dice el doctor místico, es el único medio que nos ha sido proporcionado para unirnos a Dios. Es decir, el único acto que nos pone realmente en posesión de Dios. La fe, como movimiento simple y amante de adhesión a Dios que se revela y se entrega en Jesús.

Puede ser bueno, para acercarnos a Dios en la oración, valernos de la palabra, la reflexión, la imaginación y los sentidos. Mientras esto nos haga bien y nos estimule, nos ayude a convertirnos, fortalezca nuestra fe y nuestro amor, debemos servirnos de ello.

Pero no podemos alcanzar a Dios en su esencia mediante nuestra actividad basada en estos medios, porque Él está más allá del alcance de nuestra inteligencia y de nuestra sensibilidad. Sólo la fe animada por el amor nos da acceso a Dios mismo. Y esta fe no puede ejercerse plenamente, sino a costa de una suerte de desprendimiento de las imágenes y de los gustos sensibles. Es por ello que en ciertos momentos Dios se retira sensiblemente, de manera que no nos queda más

82

que esta fe que puede ejercerse; las otras facultades parecen volverse incapaces de funcionar.

De esta manera cuando el alma ya no piensa, no se apoya en imágenes, no siente algo en particular, sino que se mantiene en una actitud de adhesión amorosa con Dios, aun cuando no perciba claramente nada y tenga la impresión de no hacer nada y de que nada ocurre, Dios se comunica con ella secretamente de forma mucho más profunda y mucho más sustancial.

La oración ya no es entonces una actividad del hombre que se pone en comunicación con Dios mediante el habla, ejercitando su inteligencia y sus otras facultades, sino que se convierte en una suerte de profunda efusión de amor, a veces sensible y a veces no, por medio del cual Dios y el alma se comunican mutuamente. Eso es la *contemplación* según san Juan de la Cruz, esa "efusión secreta, pacífica, amorosa", mediante la cual Dios se entrega a nosotros, se vierte en el alma, y el alma se vierte en Él, en un movimiento casi inmóvil, producido por la operación del Espíritu Santo en el alma.

Es ciertamente casi imposible describir esto con palabras, pero es lo que viven muchas personas en su oración, a veces sin tener ellas mismas conciencia de que lo hacen. Así como Monsieur Jourdain (protagonista de *El burgués gentilhombre*, de Molière) hablaba en prosa sin saberlo, muchas almas simples son contemplativas sin darse cuenta de la profundidad de su plegaria. Y, sin duda, es mejor así.

Cualquiera que sea el punto de partida de la vida de oración (que como ya hemos dicho, pueden ser muy variados), el Señor desea intensamente conducirnos a este fin, o por lo menos a esta etapa. Más allá, está todo aquello que el Espíritu Santo puede suscitar como etapas posteriores, como gracias aún más elevadas, de las cuales no hablaremos.

Es asombroso constatar, por ejemplo, que en tradiciones tan alejadas como las de la "Plegaria de Jesús" y aquella de la cual san Juan de la Cruz es representante, donde los caminos propuestos son tan diferentes, cuando se trata de describir la gracia de la contemplación hacia la que conducen ambos caminos, encontramos expresiones casi similares. Cuando san Juan de la Cruz describe la contemplación como "una dulce respiración de amor", nos parece reconocer el lenguaje de la Philocalia.[6]

El corazón herido

Vamos a hacer ahora algunas consideraciones como síntesis de lo que hemos dicho en los últi-

6. Obra principal que en Oriente, especialmente en Rusia, reagrupa los textos de los Padres y autores espirituales relativos a la Plegaria de Jesús.

mos capítulos, que nos van a ubicar en el punto donde todo coincide: la primacía del amor, la contemplación, la plegaria del corazón, la humanidad de Jesús, etcétera.

A fin de cuentas, la experiencia muestra que para orar bien, para encontrarse en ese estado de oración pasiva del cual hemos hablado, en la que Dios y el alma se comunican en profundidad, es necesario que *el corazón esté herido*. Herido por el amor de Dios, herido por la sed del Bienamado. La oración no puede verdaderamente descender al corazón y alojarse allí sino al costo de una herida. Es necesario que Dios nos haya tocado, por así decir, en un nivel suficientemente profundo del corazón como para que ya no podamos prescindir de Él. Sin esa herida de amor, nuestra oración no sería en realidad más que un ejercicio espiritual; aun siendo un piadoso ejercicio de espiritualidad, no sería nunca la comunión íntima con Aquél cuyo propio corazón ha sido herido de muerte por nosotros.

Hemos hablado de la humanidad de Jesús como mediación entre Dios y el hombre. El centro de la humanidad de Jesús es su corazón herido. El corazón de Jesús ha sido abierto para que el amor divino pueda derramarse sobre nosotros y para que tengamos acceso a Dios. No podremos verdaderamente recibir esta expansión de amor si nuestro propio corazón no está abierto también por una herida. Podrá haber así realmente un intercambio de amor, lo que es el único fin de la vida de oración, que se convierte de esta manera en lo que debe ser: un encuentro corazón a corazón.

Esta herida que produce el amor en nosotros podrá tener, según los momentos, distintas manifestaciones. Podrá ser deseo, búsqueda ansiosa del Bienamado, arrepentimiento y dolor por el pecado, sed de Dios, agonía de la ausencia. Podrá ser dulzura que dilata el alma, felicidad inexpresable, fuego ardiente y pasión. Hará de nosotros seres marcados para siempre por Dios, que no podrán tener otra vida en ellos que la vida de Dios.

El Señor, cuando se nos revela, busca en realidad curarnos: de nuestras amarguras, de nuestras faltas, de nuestras culpas verdaderas o falsas, de nuestras durezas. Nosotros lo sabemos, y esperamos esa curación. Pero es importante comprender que, en un sentido, Él busca más herirnos que curarnos. Puesto que es hiriéndonos más y más profundamente como Él nos procura la verdadera curación.

Cualquiera que sea la actitud de Dios hacia nosotros, ya sea que esté muy cerca o que parezca alejarse, que sea tierno o que dé la impresión de ser indiferente (y existen esas alternancias en la vida de oración), lo que Él hace tiene siempre como fin el herirnos cada vez más de amor.

En el *Tratado del amor de Dios,* de san Francisco de Sales, hay un capítulo muy hermoso en el que el santo muestra las distintas formas que Dios tiene para herir de amor al alma. Aun cuando Dios parece abandonarnos, dejarnos con nuestros defectos, en la sequedad del alma, lo hace sólo para herirnos más vivamente:

> Esta pobre alma, que sabe bien que está resuelta a morir antes que ofender a su Dios, pero que no siente sin embargo ni una pizca de fervor, muy por el contrario, experimenta una frialdad extrema que la hace sentir tan entumecida y débil que cae continuamente en grandes imperfecciones; esta alma está herida, pues para su amor es tan doloroso ver que Dios parece no advertir cuánto ella lo ama, dejándola como si fuese una criatura ajena, y siente que entre sus faltas, sus distracciones y sus frialdades, el Señor lanza contra ella este reproche: "¿Cómo puedes decir que me amas, si tu alma no está conmigo?". Lo que constituye para ella un dardo de dolor que atraviesa su corazón, pero un dardo que procede el amor, puesto que si ella no lo amara, no se afligiría tanto por el temor que tiene de no amarlo (*Tratado del amor de Dios*, libro 6, cap. 15).

Dios nos hiere a veces más eficazmente dejándonos en nuestras miserias que curándonos de ellas.

En efecto, Dios no busca tanto hacernos perfectos, sino unirnos a Él. Una cierta perfección (según la imagen que tenemos a menudo de ella) nos haría autosuficientes e independientes; por el contrario, ser heridos nos vuelve pobres, pero nos pone en comunión con Él. Y eso es lo que cuenta: no alcanzar una perfección ideal, sino no poder prescindir de Dios, estar unidos a Él de manera constante, tanto por nuestras miserias como por nuestras virtudes. De manera que su amor puede incesantemente volcarse sobre nosotros y que tengamos la necesidad de darnos enteramente a Él, porque es la única solución. Y es este lazo el que nos santificará, el que nos llevará a la perfección.

Esta verdad explica muchas cosas en nuestra vida espiritual. Nos ayuda a comprender por qué Jesús no libró a san Pablo de ese aguijón de su carne, de ese "verdadero delegado de Satanás, cuyas bofetadas me guardan de todo orgullo", sino que le respondió: "Te basta mi gracia, mi mayor fuerza se manifiesta en la debilidad" (2Cor 12,9).

Esto explica también por qué los hombres y los pequeños, los que han sido heridos por la vida, tienen a menudo gracias de oración que no se encuentran en los que más tienen.

Orar es mantener abierta esta herida

En realidad la oración consiste sobre todo en mantener abierta esta herida de amor, en impedir que se cierre. Y esto también es lo que debe guiarnos para saber qué hacer en la oración. Cuando la herida amenaza con cerrarse, o se atenúa en la rutina, la pereza, la pérdida del primer amor, es entonces cuando debemos actuar, despertarnos, despertar nuestro corazón, estimularlo a amar empleando todos nuestros buenos pensamientos y resoluciones; esforzándonos tanto como nos sea posible, según la imagen de santa Teresa de Ávila, en hacer brotar el agua que nos falta, hasta que el Señor se apiade de nosotros y haga llover Él mismo.[7] Esto puede exigir a veces un esfuerzo perseverante. "Me levantaré, pues, y recorreré la ciudad. Por las calles y las plazas buscaré al amado de mi alma" (Cant 3,2).

Si, por el contrario, el corazón está abierto, si el amor se derrama, ya sea que lo haga con fuerza o con una dulzura extrema, pues los movimientos del amor divino son, a veces, casi insensibles; si aún así existe un derramamiento de amor porque el corazón está despierto y atento: "Yo dormía, pero mi corazón estaba despierto" (Cant 5,2), entonces hay que entregarnos a esa efusión de amor, sin hacer más que consentir, o haciendo solamente lo que ese amor suscita en nosotros como respuesta.

Hemos dicho que los puntos de partida de la vida de oración pueden ser muy diferentes. Hemos evocado la meditación y la Plegaria de

7. La santa desarrolla largamente esta imagen del agua en su *Autobiografía*, capítulo 11 y siguientes.

Jesús, que son sólo algunos ejemplos. Y creo que hoy, en este nuestro siglo tan particular en el que estamos tan heridos y Dios tan apremiado, las etapas tradicionales y progresivas de la vida espiritual se ven frecuentemente desquiciadas; nos vemos a menudo como proyectados sin preámbulo en la vida de oración y recibimos de forma casi inmediata esta herida de la cual hemos hablado: por la gracia de la conversión, por la experiencia de la efusión del Espíritu Santo, como puede darse en la renovación carismática o, en otras ocasiones, mediante una prueba providencial a través de la cual Dios se adueña de nosotros.

La parte que nos corresponde entonces en la vida de oración consiste en ser fieles a la plegaria, a perseverar en el diálogo íntimo con Aquel que nos ha tocado, con el fin de "mantener esta herida abierta", impidiendo que se cierre cuando el "momento fuerte" de la experiencia de Dios parezca alejarse y nos olvidemos poco a poco de lo ocurrido, dejándonos gradualmente ser sepultados por el polvo de la rutina, del olvido y de la duda.

Nuestro corazón y el corazón de la Iglesia

Para concluir esta parte, queremos decir algunas palabras acerca del alcance eclesial de la vida de oración. En primer lugar, porque se trata de un misterio muy bello, que puede alentar fuertemente a las personas a perseverar en la oración. Pero también para asegurarnos de no dejar en el lector la impresión —totalmente falsa— de que un componente tan esencial de la vida cristiana como la dimensión eclesiástica sea extraño a la vida de oración, o tenga con ella sólo un contacto periférico. Muy por el contrario: entre la vida de la Iglesia —con la amplitud universal de su misión— y lo que pasa entre un alma y su Dios en la intimidad de la plegaria, existe un lazo extremadamente profundo, aunque a menudo invisible. No es por casualidad que un carmelita que no salió nunca de su convento haya sido declarado patrono de las misiones.

Habría muchísimo que decir en este tema acerca de las relaciones entre misión y contemplación, la forma en la cual esta última nos inserta íntimamente en el misterio de la Iglesia, sobre la comunión de los santos, etcétera.

La gracia de la oración va siempre acompañada de una profunda inserción en el misterio de la Iglesia. Esto se ve muy claramente en la tradición carmelita —que en un sentido es la más contemplativa— donde lo que se busca de manera más fuerte y explícita es la unión con Dios a través de un camino de oración, en un itinerario que puede parecer externamente muy individualista. Pero al mismo tiempo, es allí donde encontramos expresada de la forma más clara y explícita la articulación entre la vida contemplativa y el misterio de la Iglesia. Sólo que esta articulación no está vista de manera superficial, con criterios de visibilidad y de eficacia inmediatas, sino que se comprende en toda su profundidad mística. Esta articulación es extremadamente simple, pero profunda: se realiza por el amor, porque entre Dios y el alma sólo se trata de amor, y en la eclesiología implícita en la doctrina de los grandes representantes del Carmelo (Teresa de Ávila, Juan de la Cruz, Teresa de Lisieux) lo que constituye la esencia del misterio de la Iglesia es también el amor. El amor que une a Dios y al alma, y el que constituye la realidad profunda de la Iglesia son idénticos, pues este amor es un don del Espíritu Santo.

Santa Teresa de Ávila murió diciendo: "Yo soy hija de la Iglesia". Si ella funda sus carmelitas, enclaustra a sus hermanas y las impulsa a la vida mística, es en primer lugar como respuesta a las necesidades de la Iglesia de su tiempo; se siente conmocionada por los estragos de la reforma protestante y por los relatos de los conquistadores acerca de esos pueblos inmensos de paganos que debían ser ganados para Cristo. "El mundo está en llamas; no se trata de ocuparse de cosas sin importancia".

San Juan de la Cruz afirma muy claramente que el amor gratuito y desinteresado a Dios vivido en la oración es lo que beneficia más a la Iglesia y es, de hecho, lo que ella más necesita. "Un acto de amor puro beneficia más a la Iglesia que todas las obras del mundo".

Es santa Teresa del Niño Jesús quien expresa de la manera más bella y más completa este nexo entre el amor personal por Dios, vivido en la oración, y el misterio de la Iglesia. Ella entra al Carmelo "para orar por los sacerdotes y por los grandes pecadores", y el momento más fuerte de su vida es aquél en el que descubre su vocación. Ella que desea tener todas las vocaciones porque desea amar a Dios hasta la locura y servir a la Iglesia de todas las maneras posibles, cuyos deseos desmesurados son un martirio, sólo encontrará la paz cuando comprenda, a través de las Escrituras, que el servicio más grande que puede prestar a la Iglesia, y que contiene a todos los otros, es mantener en ella el fuego del amor: "...sin ese amor, los misioneros dejarán de anunciar el Evangelio, los mártires de dar sus vidas... He descubierto finalmente mi vocación: en el corazón de la Iglesia, mi madre, yo seré el amor". Y este amor se vive sobre todo en la oración:

Siento que cuanto más el fuego del amor abrace mi corazón, cuanto más le pida que me atraiga hacia él, tanto más las almas se acercarán a mí (¡pobre pequeño resto de hierro inútil, si me alejara del brasero divino!), tanto más correrán rápidas hacia los perfumes de su Bienamado, puesto que un alma abrasada de amor no puede quedarse quieta. Sin duda, como santa Magdalena, se echarán a los pies del Señor, para escuchar su palabra dulce e inflamada; pareciendo no dar nada, darán mucho más que Marta, que se atormenta con muchas cosas y quiere que su hermana la imite... Todos los santos lo han comprendido, y más particularmente quizá quienes llenaron el universo con la luz de la doctrina evangélica. ¿No es en verdad en la oración donde los santos Pablo, Agustín, Juan de la Cruz, Tomás de Aquino, Francisco, Domingo y otros tantos ilustres amigos de Dios, descubrieron esta ciencia divina, que maravilla a los más grandes genios? Un sabio ha dicho: dame una palanca y un apoyo, y moveré la tierra. Y lo que Arquímedes no pudo conseguir, porque su pedido no iba dirigido a Dios, y sólo se basaba en un punto de vista material, lo consiguieron los santos en toda su plenitud. El Todopoderoso les dio como punto de apoyo a sí mismo y sólo a sí mismo, y como palanca a la oración, que abrasa con fuego de amor, y es así como movieron la tierra. Y de esta manera la mueven los santos aún militantes y la moverán también, hasta el fin del mundo, los santos por venir.

La vida de Teresa presenta este muy hermoso misterio; ella sólo quiere vivir una cosa: una vida de corazón a corazón con Jesús, pero cuanto más entra en esta vida, cuanto más se centra en el amor de Jesús, más su corazón se agranda y se dilata al mismo tiempo en el amor de la Iglesia; su corazón se hace grande como ésta, más allá de todo límite de espacio y tiempo.[8] Cuanto más Teresa vive en la oración de su vocación de amor por Jesús, más entra interiormente en el misterio de la Iglesia. Y ésta es, por otra parte, la única manera de comprender verdaderamente a la Iglesia. El alma que no vive en la plegaria una relación de esposa con Dios, no comprenderá nunca a la Iglesia, ni percibirá su identidad profunda. Pues ésta es la esposa de Cristo.

En la oración, Dios se comunica con el alma y le expresa su deseo de que todos los hombres se salven. Nuestro corazón se identifica con el corazón de Jesús, participa de su amor por su Esposa que es la Iglesia y de su sed de dar la vida por ella y por toda la humanidad: "Tened en vosotros los sentimientos que fueron los de Jesucristo", nos dice san Pablo. Sin la oración, esta identificación con Cristo no puede realizarse.

La gracia propia del Carmelo consiste en haber puesto en evidencia el lazo profundo entre la unión corazón a corazón con Jesús en la oración, y la inserción en el corazón de la Iglesia. Debemos ver allí, sin duda alguna, una gracia

---

8. Ver los capítulos consagrados a santa Teresa del Niño Jesús en el hermoso libro del P. Léthel, titulado *Connaître l'amour du Christ qui surpasse toute connaisance*, edición del Carmelo.

mariana, porque ¿no es acaso el Carmelo la primera orden mariana de Occidente?, y ¿quién sino María, Esposa por excelencia y figura de la Iglesia, podría introducirnos en esas profundidades?

Cuarta parte

LAS CONDICIONES MATERIALES DE LA ORACIÓN

Hagamos ahora algunas observaciones acerca de las condiciones externas de la oración: duración, momentos, actitudes y lugares adecuados.

No debemos otorgar a éstas una importancia excesiva; pues significaría hacer de la vida de oración una técnica, o concentrarse en lo que no es esencial, lo que sería erróneo. En principio, podemos orar en cualquier momento, sin importar dónde y con una gran variedad de actitudes físicas, en la santa libertad de las criaturas de Dios. Sin embargo, no somos espíritus puros; somos seres encarnados, condicionados por el cuerpo, el espacio y el tiempo; forma parte de la sabiduría bíblica tenerlo en cuenta y saber emplear estas contingencias concretas al servicio del espíritu. Más aún si tenemos en cuenta que el espíritu se encuentra a veces incapacitado para orar y es entonces afortunado que exista este "hermano asno" que puede acudir en su ayuda y de alguna manera suplir esta falta con una señal de la cruz, una actitud de prosternación o el movimiento de los dedos sobre las cuentas del Rosario...

Tiempo

El momento para orar

Todo momento es bueno para orar, pero intentemos, según nuestras posibilidades, consagrar a la oración los momentos más favorables: aquellos en los cuales el espíritu está relativamente fresco, no demasiado cargado con las preocupaciones inmediatas, en condiciones de no ser interrumpido cada tres minutos, etc. Pero, una vez aclarado esto, debemos decir que disponemos a veces de poca libertad para elegir el momento ideal. Estamos la mayor parte del tiempo obligados a aprovechar los raros momentos propicios que nos dejan nuestros compromisos.

También debemos saber aprovechar, dentro de lo posible, la gracia propia de ciertas circunstancias. Con seguridad, el tiempo que sigue a la Eucaristía será un momento privilegiado para la oración.

Un punto que nos parece importante, es que debemos tender siempre a convertir la oración en un hábito. Que no sea una excepción, un momento arrancado con gran trabajo de otras actividades, sino que forme parte del ritmo normal de nuestras vidas, y que su lugar en ese ritmo no sea nunca discutido. Así la fidelidad que es tan esencial, como ya hemos señalado, nos será mucho más fácil. La vida humana está hecha de ritmos: el ritmo del corazón, de la respiración, del día y la noche, de las comidas, de la semana, etc. La oración debe entrar en estos ritmos para convertirse en un hábito, tan vital como los demás hábitos que constituyen nuestra existencia. El hábito no debe ser considerado como algo negativo (como la rutina); por el contrario, constituye la facilidad de hacer naturalmente algo que en principio exigía de nosotros un esfuerzo y una lucha. El lugar que Dios ocupa en nuestro corazón es el que ocupa en el ritmo de nuestra vida, de nuestros hábitos. La oración debe convertirse en la respiración de nuestra alma.

Agreguemos que el ritmo fundamental de nuestra vida es el de los días. Nuestra oración debe ser, en lo posible, cotidiana.

Duración del tiempo de oración

Algunas observaciones en cuanto a la duración de la oración. Ésta debe ser suficiente. Consagrar cinco minutos a la oración no es dar de nuestro tiempo a Dios. Pensemos que damos ese tiempo a cualquier persona cuando nos queremos librar de ella. Un cuarto de hora es el mínimo estricto. Quien tiene posibilidad de hacerlo no debe dudar en consagrar una hora o más todos los días.

Debemos cuidarnos, sin embargo, de ser demasiado ambiciosos al establecer la duración de nuestras oraciones, bajo pena de exigirnos más de lo que nuestras fuerzas nos permitan y terminar desalentándonos. Vale más un tiempo relativamente breve (veinte minutos o media hora), realizado fielmente todos los días, que dos horas, pero de vez en cuando. Es importante fijarnos un tiempo mínimo para la oración, y no abreviarlo salvo en casos excepcionales. Sería un error establecer la duración de nuestras plegarias por el placer que encontráramos en ellas; pues cuando comenzaran a hacerse un poco aburridas, las dejaríamos. Puede ser sabio interrumpirlas, a veces, si nos crean fatiga y tensión nerviosa excesivas. Pero, por regla general, si queremos que la oración dé sus frutos, debemos atenernos fielmente a un tiempo mínimo y no ceder a la tentación de acortarlo. Y con más razón cuando la experiencia nos muestra que es a menudo en los últimos cinco minutos cuando el Señor viene a visitarnos y a bendecirnos, luego de haber estado mucho tiempo "sin pescar nada", como san Pedro en la barca.

Lugar

Dios está presente en todo lugar, y se puede orar en cualquier sitio: en el dormitorio, en un oratorio, ante el Santísimo Sacramento, en un tren, o hasta en la fila del supermercado.

Pero debemos buscar siempre para la oración, de ser posible, un lugar que favorezca el silencio y el recogimiento, la atención a la presencia de Dios. El mejor lugar es una capilla con el Santo Sacramento, sobre todo si está expuesto, para beneficiarnos con la gracia de la Presencia Real.

Si oramos en nuestra casa, será bueno crear un rincón especial para hacerlo, con íconos, una vela, un pequeño altar, y todo aquello que pueda ayudarnos. Necesitamos signos sensibles; es por eso que el Verbo se hizo carne, y estaríamos muy equivocados si despreciáramos esas cosas, si no nos rodeáramos de aquellos objetos cuando nos llevan a la devoción. Cuando la plegaria se hace difícil, una mirada puesta en una imagen o en la llama de una pequeña vela puede volvernos a la presencia del Señor.

Así como existe un tiempo para la oración, es bueno también que en cada casa exista un espacio consagrado a la oración. Actualmente muchas familias sienten la necesidad de armar una suerte de oratorio en alguna habitación de su casa, o al menos en un rincón de alguna de ellas, y esto es algo muy bueno.

Actitud corporal

¿Qué actitud corporal debemos adoptar para orar? Esto en sí mismo no tiene mucha importancia. Ya hemos dicho que la oración no tiene nada que ver con el yoga. Esto depende de cada uno, de su estado de cansancio o de salud, de lo que le convenga personalmente. Se puede orar sentado, de rodillas, prosternado, de pie o acostado. Pero, más allá de ese principio de libertad, podemos guiarnos por dos observaciones.

Por una parte, es necesario que la actitud elegida para la oración permita una cierta estabilidad, una cierta inmovilidad. Que favorezca el recogimiento, que permita respirar con calma. Si uno está tan mal ubicado que necesita cambiar de posición a cada rato, es evidente que ello no favorecerá esa disposición de total presencia ante Dios, esencial a toda oración.

Pero, por el contrario, no es adecuado que la posición del cuerpo sea demasiado relajada. En efecto, si en la base de la oración existe un ejercicio de atención a la presencia de Dios, es necesario que la posición del cuerpo permita y favorezca esta atención (que no debe ser una tensión, sino una orientación del corazón hacia Dios). A veces, cuando el espíritu siente tentaciones de pereza o de flojera, una mejor posición del cuerpo, más significativa de una búsqueda y deseo de Dios —de rodillas con ayuda de un reclinatorio y con las manos abiertas, por ejemplo— permite mantener más fácilmente esta atención a Dios. Aquí también encontramos la sabiduría de utilizar al "hermano asno" al servicio del espíritu.

QUINTA PARTE

ALGUNOS MÉTODOS
DE ORACIÓN

Introducción

A la luz de todo lo precedente, vamos ahora a decir unas muy breves palabras acerca de los métodos más empleados para orar.

Muchas veces ningún método será necesario, pero a menudo será útil poder apoyarse en uno u otro de los medios que vamos a recordar.

Algunas observaciones preliminares. ¿En qué nos basamos para elegir una forma de actuar en lugar de otra? Creo que es un campo en el cual nosotros somos muy libres: cada uno debe simplemente elegir el método que le convenga, en el cual se sienta cómodo y que le permita crecer en el amor de Dios. Debe tan sólo vigilar para mantenerse siempre, sea cual sea el método empleado, en el "clima espiritual" que hemos intentado describir en estas páginas, y el Espíritu

Santo los guiará y hará el resto. Debemos también ser perseverantes; cualquiera que sea el método utilizado, habrá siempre momentos de aridez, y tenemos que evitar abandonar prematuramente una forma de orar porque no nos da inmediatamente los frutos que esperamos de ella. Por lo tanto debemos ser también libres y desprendidos, y cuando el Espíritu nos mueva a abandonar una forma de actuar propia, que ha sido buena y fecunda durante un período de nuestra vida, porque ha llegado la hora de pasar a otra cosa, no debemos quedar aferrados a nuestros hábitos.

Agreguemos finalmente que pueden "combinarse" entre sí distintas formas: tener en nuestra oración una parte de meditación y un momento consagrado a la oración de Jesús, por ejemplo. Pero debemos también evitar el peligro de dispersión; cambiar cada cinco minutos de actividad, durante la oración, no sería tampoco bueno; la oración debe tender a una cierta inmovilidad, a una cierta estabilidad que le permita ser verdaderamente un intercambio profundo de amor. Los movimientos del amor son lentos y apacibles; son actitudes estables porque comprometen todo el ser en el acogimiento de Dios y en el don de sí mismo.

La meditación

La meditación, como ya hemos tenido ocasión de decir, ha sido al menos desde el siglo XVI la base de todos los métodos de oración propuestos en Occidente.[9] Ésta es evidentemente una práctica más antigua, puesto que se arraiga en la costumbre, constante en la Iglesia y también en la tradición judía que la precede, de una lectura espiritual e interiorizada de las Escrituras que lleva a la oración, siendo uno de los ejemplos más característicos de esta costumbre la *lectio divina* monástica.

La meditación consiste, luego de un tiempo de preparación más o menos largo y estructurado (puesta en presencia de Dios, invocación al Espíritu Santo, etc.), en tomar un texto de la Escritura, o un pasaje de un autor espiritual, y leerlo lentamente, haciendo sobre él "consideraciones" (intentando comprender lo que Dios quiere decirnos a través de esas palabras y cómo aplicarlo en nuestras vidas), mismas que deberán aclarar nuestra inteligencia y nutrir nuestro amor para que surjan de él efectos, resoluciones, etcétera.

9. Debemos tener esto en cuenta al leer los autores espirituales clásicos, como santa Teresa de Ávila y san Juan de la Cruz, de lo contrario, corremos el riesgo de comprender erróneamente algunas de sus enseñanzas, que dan por sentado que se ha comenzado por la meditación, y que no pueden ser siempre tomadas al pie de la letra por quienes entran en la vida de oración por otro camino, como es común hoy en día.

Esta lectura no tiene el fin de aumentar nuestros conocimientos intelectuales, sino fortalecer nuestro amor por Dios. Por esto, debe ser hecha sin avidez, con calma, deteniéndonos en un punto particular, "rumiándolo" mientras se encuentre en él algo de alimento para el alma, transformándolo en oración, en diálogo con Dios, en acción de gracias o de adoración. Y cuando hayamos agotado el punto particular, objeto de la meditación, debemos pasar al siguiente punto o al resto del texto.

Es aconsejable a menudo terminar con un momento de oración, donde de alguna manera se retoma todo lo meditado para agradecer por ello al Señor y para pedirle la gracia de ponerlo en práctica. Los libros que ofrecen métodos y temas de meditación son muy numerosos. Para tener una idea acerca de lo que podríamos aconsejar en este punto como forma de proceder, podemos leer la hermosa carta del padre Libermann, fundador de los Padres del Espíritu Santo, a su sobrino, citada en el apéndice, o también los consejos de san Francisco de Sales en la *Introducción a la vida devota*.

La ventaja de la meditación es que nos da un método abordable para el comienzo, no muy difícil de poner en práctica. Evita el riesgo de pereza espiritual, porque hace un llamado a nuestra actividad, a nuestra reflexión y a nuestra voluntad.

La meditación presenta también peligros; puede ser más un ejercicio de la inteligencia que del corazón; podemos a veces estar más atentos a las consideraciones que hacemos acerca de Dios que al mismo Dios. Finalmente, podemos también apegarnos sutilmente al trabajo propio del espíritu por el placer que encontremos en ello.

La meditación presenta también otro inconveniente: generalmente, a veces con mucha rapidez, otras luego de un cierto tiempo, se nos vuelve totalmente imposible. El espíritu no llega a poder meditar, leer y hacer consideraciones acerca de ello, como hemos descrito. Esto es habitualmente una buena señal.[10] Esta aridez, en efecto, indica a menudo que el Señor desea hacer entrar al alma en una forma de oración más pobre, pero más pasiva y profunda. Como ya lo hemos explicado, este pasaje es indispensable, puesto que la meditación nos une a Dios a través de conceptos, de imágenes, de impresiones sensibles, pero

10. San Juan de la Cruz nos da criterios que permiten discernir si la imposibilidad de meditar es realmente el signo de que Dios desea hacer entrar al alma en una oración contemplativa más profunda. Porque esta aridez puede muy bien provenir de otras causas, ya sea la tibieza en que se ha dejado caer al alma, perdiendo el gusto por las cosas de Dios y deseando más bien interesarse por las cosas externas o por una causa psíquica, una suerte de fatiga espiritual que la torna incapaz de interesarse en nada. Para que esta impotencia para meditar sea realmente un signo de Dios es necesario que esté acompañada por dos cosas: por un lado, que exista una cierta inclinación al silencio y a la soledad, y por el otro, que no exista el deseo de aplicar la imaginación a otra cosa que no sea Dios (cfr *Subida al Monte Carmelo,* San Pablo, México, 2009, cap. 13).

Dios está más allá de todo esto, y es necesario dejarlos, llegado el momento, para encontrar a Dios en sí mismo, de manera más pobre, pero más esencial. La enseñanza fundamental de san Juan de la Cruz con respecto a la meditación no es tanto dar consejos para meditar bien, sino incitar al alma a dejar la meditación cuando sea tiempo, sin inquietarse por ello, acogiendo la impotencia para meditar no como pérdida sino como ganancia.

Para concluir, digamos entonces que la meditación es buena en cuanto nos ayuda a desprendernos del mundo, del pecado, de la tibieza y nos acerca a Dios. Debemos saber abandonarla, llegado el momento, y ese momento no está en nuestras manos elegirlo; la decisión está en manos de la Sabiduría Divina.

Agreguemos que, aunque no practiquemos la meditación como forma habitual de plegaria, a veces puede ser conveniente volver a ella. Retornar a la lectura y a las consideraciones, a una búsqueda más activa de Dios, si esto nos resulta útil para salir de una cierta pereza o no aflojar en la oración. Por último, si la meditación no es, o ha dejado de ser la base de nuestra oración, debe igualmente tener un cierto lugar en toda vida espiritual.

Es indispensable leer frecuentemente las Escrituras, los libros espirituales, para nutrir nuestra inteligencia y nuestro corazón con las cosas de Dios, sabiendo interrumpir de vez en cuando esta lectura para "orar" los puntos que nos tocan particularmente.

¿Qué debemos pensar hoy día de la meditación como método de oración? No existe razón alguna para desaconsejarla o excluirla, si se saben evitar los escollos que hemos señalado, y si de ella se saca provecho para nuestro progreso. Es cierto, sin embargo, que a causa de la sensibilidad y el tipo de experiencia espiritual propios de estos tiempos, muchas personas no se sienten cómodas con la meditación, y se reencuentran mejor consigo mismas en una forma de plegaria menos sistemática, pero más simple e inmediata.

La Plegaria del Corazón

La Oración de Jesús o Plegaria del Corazón, es considerada la *vía regia* para entrar en la vida de oración en la tradición cristiana oriental, especialmente en Rusia. En estos últimos años se extendió mucho en Occidente, lo que es algo muy bueno, puesto que puede conducir a muchas almas a la oración interior.

Esta oración consiste en la repetición de una breve fórmula, del tipo de: "¡Señor Jesús, Hijo del Dios Viviente, ten piedad de mí pecador!".

La fórmula empleada debe contener el nombre de Jesús, el nombre humano del Verbo, pues esta forma de orar está ligada a toda una muy bella espiritualidad del Nombre, que encuentra sus raíces en la Biblia. Esta tradición es, por lo tanto, muy antigua. Entre tantos otros, san Macario de Egipto, en el siglo IV, es testimonio de ello:

> Las cosas más ordinarias le servían de signos para elevarse a lo sobrenatural. Recordaba a san Pacomio esta costumbre de las mujeres de Oriente: "Cuando yo era niño, les veía masticar el betel para endulzar su saliva, y así sacar el mal aliento de sus bocas". Así debe ser para nosotros el nombre de nuestro Señor Jesucristo: si masticamos ese Nombre bendito pronunciándolo constantemente, traerá a nuestras almas toda la dulzura y nos revelará las cosas celestiales, Él que es el alimento de alegría, la fuente de la salud, la suavidad de las aguas vivificantes, la dulzura de todas las dulzuras. Él aleja del alma todo mal pensamiento, en nombre de Aquel que está en los cielos, nuestro Señor Jesucristo, el Rey de Reyes, el Señor de Señores, celeste recompensa de quienes lo buscan con todo su corazón.

La ventaja de esta plegaria es el ser pobre, simple, basada en una actitud de gran humildad. Puede llevar —y el Oriente es testigo de ello— a una profunda vida mística de unión con Dios.

Puede ser utilizada no importa dónde ni cuándo, aun en medio de otras ocupaciones, y conducir así a la oración continua. Habitualmente, con el tiempo, la plegaria se simplifica, se convierte sólo en una invocación del nombre Jesús o en algo muy breve: "Jesús, te amo", "Jesús, ten piedad", etc.; según lo que el Espíritu sugiera personalmente a cada uno.

Y sobre todo —esto es un don gratuito de Dios y no debe en ningún caso ser "forzado"— desciende de la inteligencia al corazón. Al mismo tiempo que se simplifica, se interioriza, convirtiéndose en algo casi automático y permanente, en una suerte de habitación constante del nombre de Dios en el corazón. El corazón ora sin cesar llevando dentro suyo este Nombre con amor. Se termina, de alguna manera, viviendo permanentemente en el propio corazón, en el cual habita el nombre de Jesús. Nombre de donde brotan el amor y la paz.

"Tu nombre es un perfume que se derrama" (Cant 1,3). Esta Plegaria de Jesús es, evidentemente, una excelente forma de oración. Pero no es dada a todos, al menos bajo la forma que hemos descrito. Eso no impide que sea una forma muy recomendable de orar, de llevar lo más posible en el corazón y en la memoria, de pronunciar frecuentemente, con amor, el nombre de Jesús, puesto que por este medio nos unimos a Dios. El Nombre representa, o más bien hace presente, a la Persona.

El peligro de la Plegaria de Jesús consistiría en querer forzar las cosas, obligarse a una repetición mecánica y agotadora, que sería más fuente de

112

tensión nerviosa que de ninguna otra cosa. Debe ser practicada con moderación, con dulzura, sin forzarla, sin querer prolongarla más allá de lo que nos es dado, y dejándole a Dios el cuidado, si Él lo quiere, de transformarla en más interior y extensa. No debemos olvidar el principio que hemos enunciado desde el comienzo: la oración profunda no es el resultado de una técnica, sino de una gracia.

El Rosario

Algunos podrán sorprenderse al vernos presentar el tradicional Rosario como método de oración, pero creo que éste ha permitido a muchos, quizá sin saberlo, llevar una verdadera vida contemplativa, y hasta acceder a la oración continua.

El Rosario también es una plegaria simple, pobre, para los pobres —y quién no lo es—, que tiene la ventaja de ser apta para todo. Puede ser una plegaria comunitaria, familiar y una plegaria de intercesión. ¿Qué más natural, cuando una persona desea orar, que rezar una decena por alguna intención?

Pero al menos para quienes reciben esta gracia, el Rosario puede ser también una forma de plegaria del corazón, que les hace entrar en oración de forma análoga a la Plegaria de Jesús.

El "Dios te salve, María", ¿no contiene acaso el nombre de Jesús? El Rosario es María, quien nos hace entrar en su plegaria, nos da acceso a la humanidad de Jesús y nos introduce en los misterios de su Hijo. María nos hace, de alguna manera, participar en su oración, la más profunda que jamás haya existido.

Recitado lentamente, con recogimiento, el Rosario tiene frecuentemente el poder de establecernos en la comunión del corazón con Dios. El corazón de María, ¿no nos da acaso acceso al corazón de Jesús?

El autor de estas líneas ha experimentado a menudo que, en momentos en los cuales le es difícil orar, cuando le cuesta recogerse en la presencia de Dios, basta con comenzar a rezar el Rosario (sin realmente terminar de hacerlo la mayoría de las veces) para encontrarse rápidamente en un estado de paz interior y de comunión con el Señor. Y está claro que hoy, luego de un período de haber sido dejado de lado, el Rosario vuelve con fuerza, como un medio muy preciado para entrar en la gracia de la plegaria dulce y amante.

No se trata de una moda ni de un retorno a una devoción anticuada o caduca, sino de un signo de la presencia maternal de María, tan fuerte en los tiempos actuales, que desea, gracias a la oración, llevar el corazón de todos sus hijos hacia su Padre.

Cómo reaccionar
frente a ciertas dificultades

Aridez, desgano y tentaciones

Cualesquiera que sean los métodos empleados, la vida de oración se enfrenta evidentemente a dificultades. Ya hemos mencionado un cierto número de ellas: aridez, experiencia de nuestra propia miseria, desgano, sentimientos de inutilidad, etcétera.

Estas dificultades son inevitables, y lo primero que debemos hacer es no asombrarnos por ellas, no preocuparnos ni inquietarnos cuando aparecen, puesto que no sólo son inevitables, sino que son buenas: purifican nuestro amor por Dios y nos fortifican en la fe. Deben ser sentidas como una gracia, y forman parte de la pedagogía de Dios hacia nosotros para santificarnos y acercarnos a Él. El Señor no permite nunca un tiempo de prueba que no sea seguido de una gracia más abundante a continuación.

Como ya hemos dicho, lo importante es no descorazonarnos y perseverar. El Señor, que ve nuestra buena voluntad, hará que estas dificultades se vuelvan a nuestro favor. Las diversas indicaciones que hemos proporcionado a lo largo de estas páginas nos parecen suficientes para comprender el sentido de estos momentos y saber enfrentarlos.

En caso de grandes y persistentes dificultades que nos hagan perder la paz —incapacidad total y duradera para orar, cosa que puede ocurrir— es sin duda deseable confiarse a un padre espiritual, quien podrá reasegurarnos y darnos los consejos apropiados.

Las distracciones

Digamos solamente algunas palabras acerca de algunas de las dificultades más comunes: las distracciones en la oración.

Éstas son absolutamente normales, y no debemos asombrarnos por tenerlas, ni entristecernos por ello. Cuando nos sorprendamos en estado de distracción, cuando nos demos cuenta de que nuestro espíritu se ha ido a pasear —no sabemos adónde— no debemos desalentarnos ni enojarnos con nosotros mismos, sino que, con simplicidad, paciencia y dulzura, debemos llevar nuestro espíritu a Dios. Y si nuestra hora de oración ha consistido sólo en esto: perdernos incesantemente y volver nuevamente al Señor, esto no es grave. Si hemos intentado volver a Él cada vez que nos hemos dado cuenta de nuestra distracción, esta oración, aun en su pobreza, será sin duda muy agradable a Dios... Él es Padre, conoce nuestra hechura, y no nos demanda el logro sino la buena voluntad. Pensemos que, a menudo, nos es más beneficioso saber aceptar nuestras miserias y nuestra impotencia, sin desalentarnos ni entristecernos, que hacer todo perfectamente.

Agreguemos también que —fuera de ciertos estados excepcionales, en los cuales es el Señor mismo quien lo hace por nosotros— es absolutamente imposible controlar y fijar por completo la actividad del espíritu humano, estar totalmente recogidos y atentos, sin dispersión ni distracción alguna. La oración presupone con seguridad el recogimiento, pero no es una técnica de concentración mental. Querer buscar un recogimiento absoluto sería un error y podría producir más tensión.

Aun en los estados de oración más pasivos, acerca de los cuales ya hemos hablado, existe una cierta actividad del espíritu, de los pensamientos, de la imaginación, que es continua. El corazón está en una actitud de recogimiento pasivo, de orientación profunda hacia Dios, pero las ideas siguen "paseando", en mayor o menor grado. Esto puede resultar a veces un poco penoso, pero no es grave y no impide la unión del corazón con Dios. Estos pensamientos son, en cierta manera, como moscas que van y vienen, pero que no perturban verdaderamente el recogimiento del corazón.

Cuando nuestra oración es todavía muy "cerebral", cuando se basa sobre todo en la actividad misma de nuestro espíritu, las distracciones son molestas, pues cuando uno se distrae, deja de orar. Pero si, por gracia de Dios, hemos entrado en una plegaria más profunda, si nuestra oración se ha convertido esencialmente en una plegaria del corazón, las distracciones serán menos molestas: el espíritu podrá estar un poco distraído (lo que estará generalmente marcado por un cierto ir y venir del pensamiento) sin que esto le impida orar al corazón.

La verdadera respuesta al problema de las distracciones no es entonces hacer que el espíritu se concentre más, sino que el corazón ame más intensamente.

Hemos dicho muchas cosas, y muy pocas a la vez... Deseamos sólo que este libro pueda ayudar a algunos a emprender el camino de la oración, o a encontrar aliento para su perseverancia. Es lo único que nos ha llevado a escribirlo. Que el lector ponga en práctica con buena voluntad lo que hemos intentado decir. El Espíritu Santo hará el resto.

Para quien desee profundizar todos estos temas, aconsejamos sobre todo leer los escritos de los santos, particularmente aquellos que hemos citado en estas páginas. Es siempre mejor acudir a ellos y a sus escritos: allí es donde se encuentran las enseñanzas más profundas y menos susceptibles de pasar de moda. Demasiados tesoros admirables, que serían muy útiles al pueblo cristiano, duermen en las bibliotecas. Si se conociera mejor a los maestros espirituales cristianos, sería menor el número de jóvenes que sienten el deseo de ir a buscar gurúes a la India para satisfacer sus deseos de espiritualidad.

MÉTODO DE MEDITACIÓN PROPUESTO POR EL PADRE LIBERMANN
(Fundador de los Padres del Espíritu Santo)

(Carta dirigida a su sobrino François, de 15 años, para enseñarle a orar).

Bendigo a Dios por los buenos deseos que te concede, y no puedo dejar de alentarte para que te apliques a la oración mental. He aquí el método que podrás seguir para hacer de ella un hábito.

Para empezar, desde la víspera, lee en un buen libro algún tema piadoso, el que se adapte más a tu gusto y a tus necesidades: por ejemplo, acerca de la forma de practicar las virtudes o, sobre todo, acerca de la vida y los ejemplos de nuestro Señor Jesucristo o de la Santísima Virgen. Por la noche, duérmete con esos buenos pensamientos y en la mañana, al levantarte, recuerda las reflexiones piadosas que deberán ser el sujeto de tu plegaria. Luego de recitar tu oración, quédate en presencia de Dios; piensa que ese gran Dios está en todas partes, que está en el lugar donde te encuentras, que está de manera muy particular en el fondo de tu corazón, y adóralo. Luego, recuerda cómo por tus pecados eres indigno de aparecer delante de su majestad infinitamente santa; pídele humildemente perdón por tus faltas; haz un acto de contrición y recita el *Confiteor*. A continuación, reconoce que eres incapaz de orar a Dios por ti mismo; invoca al Espíritu Santo, llámalo para que venga en tu ayuda y te enseñe a orar, para que te lleve a hacer una buena oración, y di el *Veni Sancte*. Aquí comenzará tu oración propiamente dicha, que contiene tres partes: la Adoración, la Consideración y la Resolución.

La Adoración

Comenzarás saludando con respeto a Dios, o a nuestro Señor Jesucristo, o a la Santa Virgen, según el tema de tu meditación. Así, por ejemplo, si meditas sobre una perfección de Dios o sobre una virtud, rendirás honor a Dios que posee dicha perfección en grado infinitamente alto, o a nuestro Señor Jesucristo, que ha practicado dicha virtud con tanta perfección. Si haces oración sobre la humildad, pensarás en cómo ha sido humilde nuestro Señor Jesucristo, que era el Dios de toda la eternidad y que se rebajó hasta hacerse niño, hasta nacer en un pesebre y ser obediente a María y José durante tantos años, hasta sufrir toda suerte de oprobios e ignominias de parte de los hombres. Entonces, le darás testimonio de tu admiración, tu amor, tu reconocimiento e impulsarás a tu corazón a amarlo y a desear imitarlo.

De la misma manera, puedes considerar esta virtud en la Santa Virgen, o en algún santo; observar cómo la han practicado y testimoniar a nuestro Señor el deseo de imitarlos. Si meditas sobre un misterio de nuestro Señor, por ejemplo, sobre el misterio de la Natividad, puedes representar en tu imaginación el lugar donde ocurrió el misterio, las personas que se encontraban allí; podrías, por ejemplo, imaginar el pesebre en donde nació el Salvador, visualizar al Divino Infante en brazos de María, con san José a su lado; a los pastores y los Magos que vienen a rendirle homenaje, y te unirás a ellos para rezarle, adorarlo y alabarlo.

Puedes servirte nuevamente de representaciones semejantes si meditas sobre las grandes verdades como el infierno, el juicio o la muerte. Representarte, por ejemplo, que estás en el momento de tu muerte, las personas que podrían estar a tu lado, un sacerdote, tus padres; los sentimientos que tendrías entonces, y producir los afectos hacia Dios, los sentimientos de temor, de confianza. Después de detenerte en estos afectos y sentimientos por el tiempo que desees y te sea útil ocuparte, pasarás al segundo punto, que es la Consideración.

La Consideración

Aquí repasarás, con calma en tu espíritu, los principales motivos que deben convencerte de la verdad sobre la cual meditas en este momento; por ejemplo, de la necesidad de trabajar para tu salvación; o los puntos que deben llevarte a amar, a practicar tal o cual virtud. Si haces tu oración sobre la humildad, podrías considerar cuántas razones te comprometen a ser humilde. Primero, por el ejemplo de nuestro Señor, de la Santa Virgen y de todos los santos, y luego porque el orgullo es la fuente y la causa de todos los pecados, mientras que la humildad es el fundamento de todas las virtudes. Finalmente, porque no tienes nada de lo cual envanecerte, ¿qué tienes que no hayas recibido de Dios? La vida, la conservación, la salud espiritual, los buenos pensamientos, todos vienen de Dios. No tienes nada de lo cual puedas vanagloriarte, por el contrario, tienes mucho de qué humillarte, pensando cuántas veces has ofendido a tu Dios, tu Salvador, tu benefactor.

En estas consideraciones, no busques repasar en tu memoria todos los motivos que puedas tener para convencerte de tal o cual verdad, sino sólo detente en algunas que te afecten más y que serán entonces más adecuadas para impulsarte a practicar esta virtud. Considera esto con calma, sin fatigar a tu espíritu. Cuando una consideración no te cause ya más impresión, pasa a otra. Entremezcla todo esto con piadosos afectos hacia nuestro Señor, con deseos de serle agradable, y dirígele de tiempo en tiempo algunas cortas plegarias y aspiraciones, para testimoniarle los buenos deseos de tu corazón.

Después de haber considerado los motivos, volverás a entrar al fondo de tu conciencia y examinarás cuidadosamente cómo te has conducido hasta aquí con respecto a la verdad sobre la cual has meditado. Cuáles son las faltas que has cometido, por ejemplo, contra la humildad, si es sobre ésta que has meditado; en qué circunstancias has cometido estas faltas y qué medidas podrás tomar para no caer más en ellas. Entonces pasarás al tercer punto, las Resoluciones.

Las Resoluciones

He aquí uno de los más grandes frutos que puedes obtener de tu oración: hacer buenas resoluciones. Recuerda que no basta solamente con decir: "no seré más orgulloso", "no diré más palabras en mi alabanza", "no me pondré nunca más de mal humor", "practicaré la caridad con todo el mundo", "seré humilde", etcétera.

Sin duda, estos buenos deseos demuestran una buena disposición anímica. Pero debemos ir más lejos. Pregúntate en qué circunstancias cotidianas corres el riesgo de caer en esta falta que te propones evitar, en qué momentos podrás hacer un acto de tal o cual virtud. Por ejemplo, si has meditado sobre la humildad, al examinarte te darás cuenta de que, cuando te interrogan en clase, sientes un gran amor propio, un vivo deseo de ser apreciado. En ese momento, puedes tomar la resolución de recogerte un instante para hacer un acto de humildad interior, para decirte que renuncias de todo corazón a todos los sentimientos de amor propio que pudieran brotar en tu alma. Si te das cuenta de que en tal circunstancia te distraes, tomarás la resolución de huir de esta ocasión, si puedes hacerlo, o de recogerte un poco en el momento en que prevés que podrías distraerte. Si te das cuenta de que sientes repugnancia por tal o cual persona, tomarás la resolución de ir hacia ella y testimoniarle una gran amistad, y así con el resto.

Pero, por buenas y hermosas que sean las resoluciones que tomes, todo será inútil si Dios no viene en tu ayuda. Pídele insistentemente su gracia, hazlo después de haber tomado las resoluciones y mientras las tomas, para que te ayude a ser fiel a ellas, pero también repítelas de vez en cuando en las demás partes de tu oración. En general, no es necesario que tu meditación sea árida y sólo un trabajo del espíritu. Es necesario que tu corazón se dilate y se expanda ante tu buen Maestro, como el corazón de un niño ante un padre que lo ama tiernamente. Para que estas peticiones sean más fervientes y eficaces, podrás representarte amorosamente a Dios, pensar que es por su gloria que pides la gracia de practicar esa virtud sobre la cual has meditado. Que es para cumplir su santa voluntad, como hacen los ángeles del cielo, que le pides ayuda para ser fiel a tus buenas resoluciones. Que se lo pides en nombre de su querido hijo Jesucristo, que murió en la cruz para hacerte merecedor de toda su gracia. Que ha prometido acoger a quienes le pidan, siempre que lo hagan en nombre de su Hijo.

Encomiéndate también a la Santa Virgen, ruega a esta buena Madre que interceda por ti; ella es bondadosa y todopoderosa, no sabe negar nada y Dios le concede todo lo que le pide para nosotros. Reza también a tu santo patrono y a tu buen Ángel. Tus plegarias no pueden dejar de obtenerte la gracia, la virtud y la fidelidad a las resoluciones que necesitas.

De vez en cuando, durante el día, recordarás tus buenas resoluciones para ponerlas en práctica, o para considerar si las has observado bien, y renovarlas por el resto del día. Elevarás tu corazón a nuestro Señor para realentarte en los buenos propósitos que Él ha puesto allí durante la oración matinal. Obrando así, puedes estar seguro de sacar gran provecho de este santo ejercicio, y hacer grandes progresos en la virtud y el amor de Dios.

En cuanto a la distracción en tus oraciones, no te inquietes por ello. Tan pronto como las percibas, recházalas y continúa tranquilamente tu oración. Es imposible para nosotros no tener nunca distracciones, todo lo que el buen Dios nos pide es que seamos fieles en volver a Él, en cuanto las advirtamos. Poco a poco éstas disminuirán y la plegaria se volverá más tranquila y fácil.

He aquí, querido sobrino, las instrucciones que creo que te convienen para facilitarte la práctica tan necesaria de la oración. He aquí el gran medio que emplean para santificarse todas las almas santas. Espero que, junto con la gracia, te sea de igual provecho que a ellas y que tu buena voluntad sea recompensada por las gracias de ese buen Maestro (*Cartas del venerable padre Libermann presentadas por L. Vogel*, París, DAB, 1964).

LA PRÁCTICA DE LA PRESENCIA DE DIOS, SEGÚN LAS CARTAS DEL HERMANO LAURENT DE LA RÉSURRECTION (1614-1691)

La práctica más santa y necesaria en la vida espiritual es la presencia de Dios, que consiste en complacerse y habituarse a su divina compañía, hablándole con humildad y conversando amorosamente con Él todo el tiempo, en todo momento, sin reglas ni medida, sobre todo en los tiempos de tentación, de penas, de arideces, de hastío, y hasta de infidelidades y pecados.

Debemos esforzarnos continuamente para que todas nuestras acciones sean como pequeñas conversaciones con Dios, no elaboradas, sino surgidas espontáneamente de la pureza y simplicidad del corazón.

Debemos actuar con medida, sin impetuosidad ni precipitación que demuestren un espíritu extraviado. Debemos trabajar con calma y amorosamente con Dios, pidiéndole que acepte nuestro trabajo y, con esta atención permanente hacia Él, aplastaremos la cabeza del demonio y le haremos caer las armas de sus manos.

Debemos, durante nuestro trabajo y otras acciones, durante nuestras lecturas, aun en las espirituales, en nuestras devociones externas y plegarias, apartar algún pequeño instante, lo más frecuentemente posible, para adorar a Dios desde el fondo de nuestro corazón, disfrutando de ello, alabándolo y de paso, pidiéndole ayuda, ofreciéndole nuestro corazón y agradeciéndole.

¿Qué puede ser más agradable a Dios que el abandonar mil veces por día a todas las criaturas para retirarnos a nuestro corazón y adorarlo?

No podemos rendir a Dios un mayor testimonio de fidelidad que renunciar y despreciar mil veces a las criaturas para gozar de un solo momento con el Creador. Este ejercicio destruye poco a poco el amor propio, que sólo puede subsistir entre las criaturas, de las cuales nos liberan insensiblemente esos frecuentes retornos a Dios.

Y no es necesario estar siempre en la Iglesia para estar con Dios. Podemos hacer de nuestro corazón un oratorio, al cual nos retiremos de vez en cuando para conversar con Él. Todo el mundo tiene la capacidad de tener estas charlas familiares con Dios; sólo basta con elevar mínimamente el corazón —escribe el hermano Laurent, aconsejando ese ejercicio a un gentilhombre—, un pequeño recuerdo de Dios, una adoración interior, aunque sea corriendo y espada en mano. Son plegarias que, por cortas que sean, son muy agradables a Dios, y que en las ocasiones más peligrosas, lejos de hacer perder el coraje, lo fortifican. Recuerde esto entonces tan a menudo como pueda: esta manera de orar es muy apropiada y necesaria para un soldado, expuesto todos los días a perder su vida y, a menudo, su salvación.

Este ejercicio de la presencia de Dios es de gran utilidad para orar bien, puesto que impide al espíritu, durante todo el día, tomar vuelo; y manteniéndole exactamente ante Dios, le facilitará el permanecer en calma durante la oración (Extraído del libro *L'expérience de la présence de Dieu*, de Fr. Laurent de la Résurrection, Le Seuil).

ÍNDICE

El Espíritu Santo es la fuerza que viene desde lo alto para ayudarnos ante nuestras dificultades, es un elemento esencial en el desarrollo de la vida cristiana, sin el cual no podríamos progresar ni responder al llamado de Dios; por ello esta obra nos enseña a reconocer las inspiraciones con las que Dios se dirige a nuestro corazón para estimularlo, señalándonos, además, las condiciones prácticas que hacen posible una actitud dócil ante la acción del Espíritu.

Es una ayuda para comprender la importancia de adquirir y conservar la paz en el corazón, que a la luz del Evangelio se torna esencial para el desarrollo de la vida cristiana.

DE LA MISMA COLECCIÓN

Una de las cualidades de la vida humana es la capacidad de crecer en la madurez, el amor y la libertad, a pesar de las dificultades que encuentra en el camino. Jacques Philippe, nos invita a salir de nuestros encierros, a elegir la vida y despertar todas nuestras capacidades. Para lograrlo, necesitamos estar disponibles a los llamados que Dios nos hace a lo largo de la vida.

Se terminó de imprimir en los talleres de EDITORIAL ALBA, S.A. DE C.V. Calle Alba 1914, San Pedrito, Tlaquepaque, Jal. el 9 de mayo de 2017. Se imprimieron 1,500 ejemplares, más sobrantes para reposición.